DU MÊME AUTEUR
CHEZ ODILE JACOB

« Peut mieux faire ». Remotiver son enfant à l'école, Paris, Odile Jacob, 2001

Manuel d'éducation à l'usage des parents d'aujourd'hui, Paris, 2004.

DIDIER PLEUX

DE L'ENFANT ROI À L'ENFANT TYRAN

15, rue Soufflot, 75005 Paris

www.odilejacob.fr

ISBN 978-2-7381-1535-5
ISSN : 1621-0654

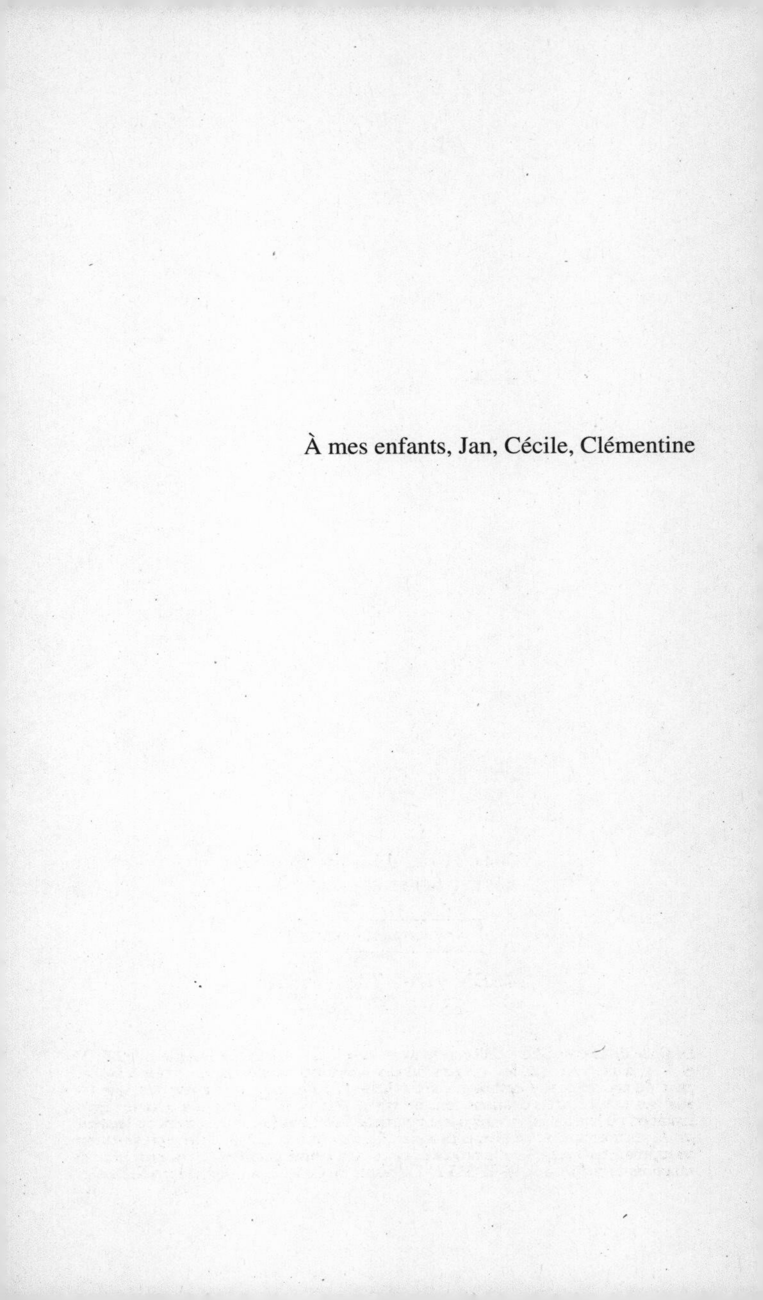

À mes enfants, Jan, Cécile, Clémentine

Introduction

L'enfant au pouvoir

Dans ma pratique de psychologue clinicien, je rencontre de plus en plus de parents impuissants devant ce que j'appelle la prise de pouvoir de leur enfant à la maison : « On ne sait plus comment le prendre… », « Il fait ce qu'il veut… », « On n'en peut plus !… »

Derrière ces affirmations se cache le plus souvent une grande détresse : les parents ne comprennent pas comment ils en sont arrivés là et cherchent souvent une explication « environnementale » (c'est la faute à la société) ou « psychologique » (il a besoin d'affection). Apparaît alors un véritable stress familial : le père, la mère et la fratrie du petit « tyran » présentent toute une série de symptômes et de réponses inadéquates tant leur émotionnel est exacerbé. L'enfant tyran s'autodétruit par son égocentrisme démesuré, mais il génère aussi chez l'autre la dépression, l'anxiété et la colère.

Comment l'enfant a-t-il pu subrepticement détourner les règles adultes quotidiennes au profit de son bon vouloir ? Quelles sont les attitudes parentales qui ont renforcé cette passation de pouvoir ? Est-ce un problème de société ou une question d'éducation ?

Les spécialistes de tous bords et les médias s'intéressent de plus en plus à cette omnipotence infantile. La tentation est grande de revenir une fois de plus en arrière, de rappeler les

« bonnes vieilles méthodes éducatives » à la rescousse et de passer ainsi de la permissivité à la répression. Un des objectifs de cet essai est justement d'aider les parents à renouer avec l'éducation qui ne saurait être ni le laisser-aller ni l'autoritarisme destructeur. Comment peut-on épanouir son enfant, l'aider à vivre tout son potentiel, sans le brider dans sa légitime volonté d'exister à part entière et l'inciter à respecter autrui, à vivre avant tout socialement ?

L'enfant tyran, ce n'est pas que chez les autres

L'enfant roi, nous le connaissons bien et nous sommes nombreux à en avoir un à la maison : il possède tous les biens matériels possibles, selon son milieu social (l'enfant gâté), et ne souffre d'aucune carence affective (on l'aime). L'enfant tyran, c'est autre chose : il manifeste une véritable domination sur les autres et ses parents en particulier.

Certains enfants deviennent tyranniques sans le vouloir vraiment, d'autres savent profiter d'une permissivité parentale, d'autres encore sont de véritables petits despotes « éclairés », mais tous tombent un jour ou l'autre, s'ils ne sont pas arrêtés, dans la tyrannie absolue.

C'est pourquoi nous devons, nous parents, être vigilants, mettre un terme à l'escalade avant l'exacerbation d'un comportement déviant qui fera de l'enfant tyran un véritable délinquant, le jour où il se rendra compte que les comportements infantiles habituels ne suffisent plus pour obtenir ce qu'il veut, et qu'il lui faut passer au stade supérieur : faire souffrir, faire mal.

Mon premier souci est de vous faire comprendre que nos enfants peuvent rapidement franchir les étapes qui les mèneront d'enfant gâté à enfant roi et d'enfant roi à enfant tyran. Ne soyons plus naïfs et sachons observer telle ou telle attitude chez nos enfants : arrêtons les interprétations ou supposés de tout poil, n'acceptons plus les demandes et les exigences démesurées.

Il est vrai que nous ne sommes pas aidés : notre société de consommation fait de notre progéniture une cible privilégiée, elle stimule la demande infantile, la manipule à souhait. Soyons vigilants, le combat est certes inégal avec les marketers des multinationales, mais n'en rajoutons pas en nous fermant les yeux. Puisque l'enfant est sollicité de toutes parts pour un principe de plaisir toujours plus immédiat, il nous incombe de lui rappeler, même si cela s'avère conflictuel et frustrant, le principe de réalité.

Ce que vous trouverez dans ce livre

Dans la première partie, je décris les différentes formes de prise de pouvoir de l'enfant tyran. Non seulement des actes visibles, caricaturaux comme les insultes et les violences qui sont, je le répète, l'aboutissement de comportements beaucoup plus insidieux, mais surtout cette domination subtile de l'enfant sur toute la famille qui génère rapidement un stress parental et c'est bien le plus important : le respect de l'autre, le lien soi autrui sont absents chez l'enfant tyran. Son égocentrisme domine tout, même au prix de la souffrance de la famille dans son entier : parents et fratrie.

Quelles sont les étapes de cette prise de pouvoir, comment en est-on arrivé là ? C'est ce que nous verrons dans la seconde partie : avant de devenir roi puis tyran, l'enfant a su transgresser progressivement les interdits et annuler l'autorité parentale. Du tout-petit au jeune adulte, je décris à quel point l'omnipotence peut s'installer là où l'on ne voudrait voir que des sollicitations normales, des comportements d'enfant tout simplement.

Que faut-il faire pour contrer cette omnipotence infantile ? Il ne saurait exister une réponse unique, cet ouvrage ne peut être exhaustif, il propose quelques pistes : bien saisir l'importance de la frustration, le principe de réalité dans l'éducation, remettre en cause « quelques idées reçues en psychologie ». Si la psychologie de l'enfant signe un irréfutable progrès dans la compréhension de son développement psychoaffectif et des éventuelles pathologies qu'il peut actualiser, il est judicieux d'appréhender l'éducation avec de nouvelles grilles de lecture. La philosophie déjà trentenaire de « l'enfant est une personne » n'a-t-elle pas contribué à contester l'autorité parentale ? Le souhait justifié d'un plus grand respect de l'enfant n'a-t-il pas été mal interprété ? N'avons-nous pas, nous psychologues, favorisé l'affaiblissement de l'autorité tout court puisque toujours vécue comme une répression, humiliante et castratrice, ce qu'elle était sans conteste dans la première moitié du XXe siècle et bien avant ?

Je souhaite évaluer nos compréhensions, nos interprétations, nos certitudes éducatives. Cette remise en question de nos croyances les plus profondes doit nous aider à mieux gérer notre émotionnel devant les enfants rois pour mieux saisir ensuite l'action éducative. La distorsion est grande entre l'idéal éducatif et les pratiques réelles au quotidien.

Vous, parents, êtes tenus d'éduquer différemment : vous êtes de plus en plus responsabilisés mais rarement guidés. Je sais qu'il est dangereux de proposer des recettes ou des outils éducatifs, votre enfant est « unique ». Savoir redevenir éducateur et donc conflictuel, c'est une piste pour retrouver l'autorité éducative nécessaire aux générations actuelles. C'est aussi le moyen de moins fragiliser nos enfants nourris au principe de plaisir afin qu'ils puissent s'accommoder au mieux à la réalité. C'est surtout la seule issue pour éviter la répression si souvent réclamée par l'impuissance : recouvrer l'autorité parentale pour ne pas renouer avec l'autoritarisme bien connu des générations passées. Peut-il exister un savoir-faire entre permissivité et autoritarisme ?

« Si tu veux connaître un Indien »

Je qualifie les enfants tyrans de « pirates », mais j'ai aussi souvent parlé d'Indiens dans mes interventions professionnelles. Est-ce par souci d'exclusion ou simple rejet de ces enfants-là ? S'il m'arrive de les confondre avec les « Apaches » au sens propre, c'est surtout parce que je crois qu'ils peuvent s'en sortir, qu'on peut les aider à quitter leur fausse arrogance pour retrouver un lien entre soi et autrui, une acceptation plus grande du principe de réalité, véritable marche vers la quête du bonheur. Comme le disent les Québécois : « Si tu veux connaître un Indien, fais mille miles dans ses mocassins... » Il faut déjà admettre et ne plus feindre de voir les différences et les dysfonctionnements, il s'agit bien de connaître pour mieux comprendre, de réagir pour aider et non exclure, marginaliser, réprimer ou abandonner.

PREMIÈRE PARTIE

Qu'est-ce qu'un enfant tyran ?

CHAPITRE PREMIER

Comment le reconnaître ?

« Si en sa jeunesse on abandonne l'homme à sa volonté et que rien ne lui est opposé, il conserve durant sa vie entière une certaine sauvagerie. »

E. KANT, *Réflexions sur l'éducation.*

Beaucoup de magazines s'emparent de ce sujet très actuel. Ils évoquent ces enfants rois qui n'en font qu'à leur tête, les reportages soupçonnent la démission parentale et le tout est ponctué par l'avis des spécialistes qui tirent la sonnette d'alarme : il faut faire quelque chose.

Nous sommes tous concernés

Quand nous, parents, nous lisons tel article sur les frasques de certains enfants, nous sommes parfois indignés, mais le plus souvent nous ne nous sentons que peu concernés. Ce gamin de CP qui tague les murs de son école pour injurier l'instituteur avec les premiers mots appris, cette autre fillette qui frappe violemment et gratuitement un compagnon de jeu de bac à sable, ce ne sont pas nos enfants. Les adolescents offensifs qui insultent les enseignants, dégradent les classes, rackettent, font commerce de produits illicites ne sont qu'une minorité, cela n'a rien à voir avec notre quotidien. Bien heureusement, le mal n'est pas chez nous, nous sommes beaucoup à le penser, ce problème d'enfant tyran est ailleurs.

Comme certains médias, nous pouvons penser que l'enfant tyran ne mérite sa couronne que s'il commet des actes particulièrement offensifs contre les biens ou les personnes, en famille, à l'école, dans l'environnement social au sens large, que lorsque la démission parentale est totale et qu'il bénéficie d'une société de consommation particulièrement généreuse. Certes, je peux avoir un enfant pas toujours facile, qui rechigne devant mes exigences parentales, ne fait pas toujours ce qu'il faut à l'école, est parfois conflictuel avec ses copains, a beaucoup plus de jouets ou de loisirs que ce que nous avions dans le passé, mais de là à l'étiqueter « enfant tyran », c'est exagéré.

Il n'est pas besoin d'être menacé par les ciseaux de sa fille de 10 ans, d'être agressé physiquement par un adolescent violent, d'être victime d'explosifs lancés au hasard dans un village par des gamins qui « voulaient s'amuser » pour s'alarmer. Ces comportements sont souvent le fruit d'une escalade dans les passages à l'acte et leur impunité. L'enfant tyran est, et c'est mon hypothèse, à l'origine de ces dysfonctionnements ou dérapages majeurs : c'est parce qu'il a pris le pouvoir chez les adultes, subtilement, progressivement qu'il en arrive à des actes aussi démesurés et visibles. Tel un dictateur qui sait préparer son coup d'État, il gagnera petit à petit toute une série de combats familiaux, contestera les règles, les refusera, les changera et agressera quiconque voudra rétablir l'ordre. Puis il sera seul au pouvoir et l'omnipotence virera vite au despotisme ; dès lors, dominer ne suffira plus, il lui faudra écraser, violenter, détruire, annuler tout opposant à son principe de plaisir.

Il nous faut donc être vigilants et mettre la barre un peu plus bas : l'enfant tyran le devient au travers d'attitudes que nous risquons malheureusement de banaliser. Les quelques faits que je vais relater ne sont pas si anodins, ils signent au contraire l'entrée dans l'omnipotence infantile. Les premières questions que nous devons nous poser : dans tous ces petits conflits quotidiens, en famille, à l'école ou ailleurs, sommes-nous réellement lucides ? Qui est responsable ? Qui est la victime ? Qui décide ? Sommes-nous les parents, ceux qui observent, écoutent, évaluent et décident d'agir ou non ou ne devenons-nous pas les simples porte-parole d'un enfant en train d'imposer son point de vue, sa volonté, sa décision ?

> Les comportements infantiles omnipotents précèdent les passages à l'acte les plus tyranniques (violences, destructions).

L'enfant tyran a un comportement coercitif

Quel vilain qualificatif et pourtant il répond bien aux attitudes de séduction, de manipulation, de pression de l'enfant tyran et surtout aux demandes qui ne sauraient obtenir une réponse parentale négative. Nous devons ce vocabulaire à Gerald Paterson qui travaille depuis les années 1980 avec des enfants particulièrement difficiles dans son établissement, l'Oregon Social Learning Center. Jos Peters nous redéfinit cette théorie de la coercition : « C'est le processus par lequel les enfants apprennent à se comporter de façon exigeante et manipulatrice. La *coercition theory* décrit comment les enfants obtiennent ce qu'ils désirent au moyen du comportement coercitif tel que geindre, se plaindre, bouder, se mettre en colère. En général, ce comportement est soit une forme de refus par lequel une tâche ou une responsabilité est évitée, soit une forme d'exigence. Le jeune veut obtenir immédiatement ce qu'il désire, il insiste sans arrêt… ou bien, il fait simplement ce qu'il veut. »

Il se fait passer pour une victime

Je suis invité à une réunion de parents d'élèves au collège de ma fille cadette, élève de classe de sixième. Dès le hall d'entrée du collège, je suis prévenu par une affiche très convaincante où une belle photo d'enfant angélique s'accompagne d'une parole forte : « J'ai droit à mon enfance ! » Et je lis en sous-titres toute une série de verbes me signifiant son droit à « écouter, rêver, jouer, apprendre, parler, aider, aimer, vivre ». Étonnant : rien sur les devoirs de l'enfant. Bien évidemment, en pleine lecture, j'assiste à une véritable envolée d'oiseaux, pour ne pas dire autre chose, les petits sixièmes courant dans les escaliers, bousculant, piaillant avec leurs parents aux trousses, les pauvres s'efforçaient de les suivre, déjà distancés, cela commence bien ! L'objectif, je m'en rendrai compte un peu plus tard, est de prendre possession des lieux, de la salle de réunion avant l'arrivée des enseignants.

Ce collège n'est pas particulier, c'est celui d'une petite ville de province plutôt réputée pour un environnement social calme et privilégié. Les petits incidents qui vont suivre ne sauraient être comparés aux passages à l'acte des quartiers défavorisés de certaines grandes villes ou banlieues réputées difficiles. Rien de bien grave dans les apparences, mais lorsque nous évoquons cette prise de pouvoir de certains enfants, nous entendons bien ces petites victoires sur le monde adulte qui, ajoutées les unes aux autres, traduisent la démission des aînés, une première étape qui pourrait bien s'actualiser plus tard par une révolte autrement destructrice.

Il fait peur aux adultes

Après quelques remarques, les parents obtiennent tant bien que mal des chaises pour s'asseoir et le professeur principal intervient. Quelques compliments sur le bon niveau de cette classe et puis cette remarque :

« Ils sont en sixième, certains enfants ont encore des comportements un peu sauvages : ils s'adressent au voisin sans tenir compte de la classe, la parole du professeur ou du camarade est régulièrement coupée, beaucoup ne cessent de quémander toutes sortes de choses comme s'il fallait obtenir tout tout de suite, nous ne sommes plus au primaire. » Et la réponse d'un parent « élu représentant » :

« Ils ne sont qu'en sixième, ce sont encore de jeunes enfants ! » Devant cette affirmation d'ordre « c'est normal », le professeur principal opine du chef.

Je suis surpris, pourquoi banalise-t-elle son propos ? Elle n'évoquait pas seulement des attitudes infantiles mais soulignait une exigence adulte : vivre en classe, en collectivité oblige certains comportements comme attendre son tour, respecter l'autre, quitter sa demande exclusive pour s'inscrire dans un groupe social. Les remarques de l'enseignant se réduisaient donc à des petits chahuts classiques à cet âge et ne répondaient plus à cette exigence que nous ne cesserons d'invoquer : le devoir de l'enfant pour rétablir un lien soi-autrui. Et puis survint l'incident :

« J'aimerais comprendre ce qui s'est passé à votre dernier cours », questionne l'élu. Le professeur agrée et l'incite à poursuivre mais le visage se tend, déjà coupable. « J'aidais ma fille pour qu'elle apprenne un de vos cours et il lui manquait le début d'une phrase, ce qui rend tout le texte incompréhensible. Que s'est-il passé ? Est-ce vrai que vous avez refusé de redire cette phrase ? » Le professeur s'efforce de garder son calme : « Certains enfants faisaient beaucoup de bruit, parlaient et n'ont pas pu noter ce que je disais, d'autres ont tout entendu et l'ont noté. » Et notre élu voisin de demander à ma fille si elle avait rédigé cette phrase ; devant son « oui » (c'est normal, une enfant docile et peu affirmée dans un contexte familial psychorigide), il semble surpris mais questionne de nouveau : « Il y avait du bruit et vous avez refusé de redire la phrase ? »

Il conteste l'autorité

« C'est bien ça qui s'est passé ! » lance un enfant, bien carré dans sa chaise ou plutôt bien vautré sur elle. À mon « qui est-ce ? », ma fille m'apprend que c'est le délégué de classe.

Et notre deuxième élu d'affirmer devant toute la réunion de parents, sur un ton méprisant et sans doute très adulte : « Il y avait du chahut et vous n'avez pas voulu répéter la phrase ! » Un bruit apparemment réprobateur provient des rangs adultes et le professeur, maintenant blême, s'empresse de conclure par un « je suis désolée, ce n'était pas à faire ». Les deux élus se renfoncent dans leurs trônes, satisfaits et quêtant du regard les autres, apparemment convaincus, sans doute des électeurs.

Je suis choqué par ce que je viens de voir, j'en reparlerai un peu plus tard à ma femme et à ses collègues qui enseignent eux aussi. Tous me répondront : « Tu sais, une réunion de parents d'élèves, c'est surtout pour critiquer les profs ! » Cela prête à sourire et pourtant ces mini-passages à l'acte doivent être mieux observés, décodés pour être confrontés et annulés. Rien n'est pire que la banalisation des comportements infantiles inappropriés, une marche de plus devant une incontournable escalade des déviances, la route vers la mainmise sur le monde adulte. En quoi cette réunion parentale au collège est-elle si dramatique, me direz-vous ? Elle révèle deux attitudes qui stimulent l'omnipotence infantile : le désaveu d'adultes entre eux avec pour conséquence l'annulation d'une sanction et la victimisation de l'enfant, le monde est souvent injuste envers lui !

Quels étaient les véritables faits racontés par les élèves qui avaient copié la fameuse phrase ? Ceux qui n'avaient rien entendu ne faisaient que parler et cela durait depuis le début du cours. Excédée, l'enseignante leur dit qu'elle ne répétera pas trente-six fois, qu'ils n'ont qu'à faire comme ceux qui écoutent. En fait, même si la conséquence peut paraître quelque peu lourde, elle voulait avant tout dire que les élèves qui n'avaient pas entendu le début de phrase ne pouvaient s'en prendre qu'à eux-mêmes. Ce qui est transformé par le tribunal enfant-parent par : un prof n'a pas à nous punir de cette façon, elle doit nous donner ce qu'on lui demande. Avec en filigrane côté parental : elle n'a qu'à tenir sa classe, c'est pas normal de se faire chahuter par des mômes.

Que vont dire ces parents à leurs enfants qui « n'ont pas eu la phrase » ? « Continuez de parler ! de faire du bruit ! la prof est obligée de vous donner tout le cours !... » Encore une affaire d'obligation adulte. Rien sur le devoir de l'enfant : tu dois écouter l'enseignant pour apprendre, dans le cas contraire ton chahut sera sanctionné par une mauvaise note puisque tu n'as pas tous les éléments pour comprendre ton cours. À la conséquence légitime d'un comportement inapproprié se substitue une fois de plus la sacro-sainte loi que les adultes doivent répondre avant tout aux attentes des enfants, car comme le disait l'élu adulte : « S'ils n'aiment pas les enfants, ils n'ont qu'à faire un autre métier ! »

Cette attitude anti-professeurs se généralise peu à peu, le mépris parental ne fera qu'ajouter au refus d'apprendre de l'enfant. Nous sommes bien loin de cet idéal vieillot : « Les enfants et les petits-fils admirent, et ils admirent pour apprendre… » (Thomas Mann, *La Montagne magique.)*

Il sait piéger l'adulte

Mais, cher parent d'élève élu, je ne vous en veux pas : si vous avez pris le risque de désavouer l'enseignant devant vos pairs et les élèves, ce n'est pas par méchanceté mais sans aucun doute parce que vous êtes vous-même piégé, séduit ou manipulé par votre enfant. Vous m'avez rassuré quand nous avons quitté le collège par votre : « Ma fille n'est pas toute blanche, elle m'a caché des notes, on va en parler ! » Mais le mal était fait : devant tous et surtout les jeunes scolaires vous avez affirmé bien haut : « La parole d'un enfant vaut plus que celle d'un adulte. » Je pense sincèrement que vous avez dû apprendre vous-même ce genre de croyance, puisse ce livre vous aider à en changer. Et puis, vous avez sans doute du mal à éduquer votre chère petite, votre savoir-faire paraît faible puisque, aux dires de ses copines, les enfants sont de terribles dénonciateurs, elle refuse de « manger plein de choses à la cantine », « elle a déjà fait acheter plusieurs cartes de téléphone alors qu'elle ne devait en utiliser qu'une », « elle en a même volé une à une autre » et « il paraît que le beau stylo qu'elle nous montre n'est pas à elle ».

Les petits disent n'importe quoi ! À moins que derrière leur délation se cache un désir de vérité et de justice parentale.

Comme s'ils nous disaient : « Vous parents, vous ne voyez rien, vous ne savez pas à quel point on vous fait marcher ! » Je l'ai réalisé en consultation, je l'ai vécu au quotidien avec des parents, des amis, des collègues et aussi au travers de récits, de témoignages ou d'incidents partagés.

Il sait aussi le provoquer

L'entretien a lieu un samedi matin, des parents viennent consulter pour leur fils qui présente des troubles du comportement mais pour eux c'est surtout l'école qui pose problème. Ils sont en retard. J'entends la sonnette, ils pénètrent dans la salle d'attente. Déjà les premières remarques de la mère : « C'est pour toi, ne fais pas cette tête et tiens-toi bien ! »

Le thérapeute. – Bonjour !

La mère. – Nous sommes en retard, pas facile de trouver une place près de votre cabinet ! (situé en plein centre-ville avec des travaux pour le futur tramway qui durent depuis plusieurs mois déjà !)

Adrien (sans jouer au lacanien, ne serait-ce pas un nom d'empereur ?) s'installe dans le fauteuil en face du bureau, les parents s'assoient timidement sur les deux côtés. Pendant ma conversation avec les parents, il n'aura de cesse de me fixer du regard, restera mutique et commencera quelques provocations avec des balancements sur mon « non-rocking chair », des petites tapes de la main sur le bureau, des souffles qui en disent long, jusqu'aux trépignements qui interpellent puisque le père souligne : « Voyez, il ne peut pas cesser de bouger, c'est déjà trop long pour lui. »

« C'est un hyperactif, on nous l'a déjà dit », précise la mère. Et mon regard thérapeutique incendie Adrien qui stoppe illico les mouvements provocateurs.

Le thérapeute. – Il semble pouvoir arrêter ses gestes excités quand on le lui demande !

La mère. – Sûrement pas, à la maison c'est l'enfer, tout est un problème... mais on est venu parce qu'il risque de redoubler sa sixième.

> Parents, ne banalisez pas les comportements inappropriés de vos enfants (abus de pouvoir, égocentrisme, privilèges, etc.). C'est la multitude de ces mini-coups d'État, et non leur gravité, qui peut faire de votre enfant un enfant tyran.

Il a des problèmes à l'école

Quand cela déborde, quand les parents viennent consulter, c'est le plus souvent pour évoquer les problèmes à l'école. J'ai toujours tenté d'appréhender les difficultés d'apprentissage non en termes de pathologie lourde, comme le pourrait être une véritable phobie scolaire, mais dans leur hypothèse éducative : qu'il soit anxieux, dévalorisé ou intolérant aux frustrations, l'enfant démotivé a besoin d'éducation pour accepter les incontournables contraintes de l'école[1].

Les parents aimeraient que nous, les spécialistes, nous puissions traiter les problèmes de façon magique, par le biais d'une psychothérapie ou d'une remédiation cognitive (rééducation des outils opératoires, pour apprendre) qui les déres-

1. Voir mon livre *Peut mieux faire*, Paris, Odile Jacob, coll. « Guide pour s'aider soi-même », 2001.

ponsabilisent. Bien vite, ils saisissent que le professionnel ne peut rien sans eux et qu'il faut aborder la question du quotidien : quelles sont leurs règles de vie, quelles exigences éducatives pour leurs enfants, les tâches de partage demandées à chacun, les conséquences éventuelles s'il y a dysfonctionnement ou désobéissance ? Tantôt les difficultés rencontrées au quotidien à la maison sont minimisées, tantôt elles sont exacerbées. Toujours ces mêmes excès dans le propos qui oscillent d'une extrême banalisation des comportements à une dramatisation des faits. Un dénominateur commun se fait jour : la plupart des parents ne savent pas quoi faire devant les attitudes omnipotentes de leur enfant.

Il est intelligent, pas forcément précoce

J'écoute donc la demande parentale : Aurélien est diagnostiqué précoce par un spécialiste sans doute séduit par sa logique de raisonnement et son langage châtié, deux caractéristiques bien courantes chez nos petits génies grands amateurs de jeux vidéo (qui développent la réactivité logique) et de discussions sans fin avec les adultes (qui stimulent des pensées pseudo-matures) et qui réussissent les tests classiques avec brio... mais pas les exercices de processus où la forme, la méthode comptent plus que le résultat. Dans ce cas, les scores chutent et nous retrouvons nos petits génies dans la moyenne de leur échantillonnage de population, à la grande désolation des parents. Outre la passation des tests, il est étrange d'accorder plus d'importance à des tests d'intelligence qu'aux attitudes à l'école et aux notes obtenues dans les matières enseignées (pardon, j'ai pourtant appris que la réalité psychique de l'enfant l'emporte toujours sur la réalité tout court mais j'ai toujours du mal à y croire !). Là encore, la réalité cède le pas à une très vieille croyance en psychologie de l'enfant : si le petit est intelligent et qu'il échoue à l'école, cette dernière est responsable, il s'y ennuie et ne peut actualiser toutes ses capacités.

Il fait ce qu'il veut

Jean-Édouard, 11 ans, lui aussi risque non seulement de redoubler la sixième mais ne manifeste que des dysfonctionnements à l'école : altercations avec les copains, conflits avec les enseignants, refus des nouvelles matières comme l'anglais. Nous rassurons les parents, leur fils peut bénéficier d'un soutien méthodologique qui peut l'aider à se remotiver, à retrouver des objectifs à moyen et long terme, à gérer son temps de travail à la maison, à mieux apprendre en intégrant les informations essentielles mais nous avons aussi besoin d'eux !

Le thérapeute (lors de l'entretien préalable et après avoir, bien sûr, enquêté sur l'histoire de l'enfant, le contexte familial, les éventuels traumas, les problèmes de santé pour écarter une piste pathologique lourde). – Nous pouvons vous aider pour le remotiver mais nous avons besoin de vous à la maison. Comment cela se passe-t-il au quotidien ?

La mère. – À part l'école, il n'y a pas de gros problèmes, il n'obéit pas toujours mais c'est un peu normal à son âge !

J'entends souvent cette pensée ou croyance parentale : un enfant qui désobéit, c'est normal. Certains ajoutent même : « Cela montre qu'il a de la personnalité, qu'il ne se laissera pas faire plus tard. » Je suis d'accord, une trop grande docilité infantile peut être d'un mauvais pronostic, mais je ne définis pas l'obéissance par une attitude vassale devant l'adulte tout-puissant. Obéir, c'est admettre qu'il existe des interdits, des exigences, un frein au vœu infantile bien normal « d'avoir ce qu'il veut quand il veut » !

Les « bons enfants » de la comtesse de Ségur savaient aussi désobéir, mais il ne faut pas confondre la réaction classique de rechigner devant une demande frustrante, la volonté d'éviter un maximum de contraintes et les attitudes d'opposition systématique de certains envers toute demande ou toute frustration imposée par l'autre, qu'il soit le parent ou non.

> Le refus systématique d'obéir traduit plus, chez l'enfant, une intolérance aux frustrations qu'un caractère affirmé.

Le thérapeute. – Parlons des activités extrascolaires, des loisirs, qu'aime-t-il ?

Le père. – Il a déjà fait beaucoup de choses pour son âge : un an de natation, puis un peu d'escrime. (Il se tourne vers le fils qui ponctue d'un « c'était nul ».) Le football il y a deux ans mais ça passait pas bien avec l'entraîneur, un peu de basket l'an dernier mais il ne jouait pas beaucoup (le fils lâche de nouveau un « c'était nul ! ») et cette année il a l'air d'aimer l'équitation (l'enfant grimace).

« Qui risque d'être nul ? », interroge le thérapeute. – Non, c'est super », lance Aurélien sur un ton « eh le psy, tu ne vas pas me faire croire que tu as déjà tout compris ! ».

Il ne s'investit pas, il se disperse

Bien souvent, ce genre d'enfant a pratiqué de nombreuses activités, la plupart ne dépassent que rarement une année entière. Nous qualifions de « jumping » cette spécificité de l'enfant tyran à stopper toute occupation dès qu'elle ne répond plus à ses attentes, dès que d'autres imposent des règles, dès qu'elle devient frustrante. Ainsi, nous apprenons que tel ou tel enfant arrête la gymnastique aquatique parce qu'il y avait « trop d'entraînement et pas assez de spectacle ! », tel autre se fâche avec l'équipe de football parce qu'il « ne pouvait pas jouer milieu de terrain comme Zidane, et qu'il y avait plus d'échauffements et d'exercices que de jeu », et enfin beaucoup nous assènent un « de toute façon, fallait en faire toutes les semaines, ça prenait trop sur mon week-end » !

Une règle chez l'enfant tyran : le sport est un loisir, je dois pouvoir jouer comme j'ai envie, qu'on ne m'inflige ni exercices, ni entraînements, ni fréquence sinon j'en change !

Il ne s'agit pas d'imposer coûte que coûte à son enfant un instrument de musique qu'il abhorre mais de bien discerner si la volonté d'abandon vient de l'instrument lui-même ou du contexte d'apprentissage. Si tous les enfants optaient pour le piano, nous n'aurions plus d'orchestre mais de là à tout tenter, à pratiquer un petit peu de tout cela ressemble fort à ces musiciens hommes-orchestres qui excellent dans le mélange des genres, subtil camouflage pour certains d'une réelle incompétence pour chaque instrument, et savent jouer de la cymbale et de la grosse caisse pour mieux dominer les autres sons.

Il n'accepte pas les contraintes

Je me souviens de cette discussion d'adolescents délinquants qui nous étaient confiés dans un internat il y a de cela une trentaine d'années : « Le foot c'est nul s'il faut mettre des chaussures de foot, on peut jouer avec celles de tous les jours, non ? » et cette réponse du copain qui venait de vivre une mini-croisière en mer : « T'aurais vu le bateau, c'était pas mieux… il y a des trucs sympas mais la mer ça bouge ! » Cette hyperintolérance aux frustrations fait sourire mais derrière ces réflexions et celles de nos sportifs instables se cache une réalité : toute contrainte est refusée même si l'objectif est celui d'un loisir.

Et vous conclurez avec moi : si l'acceptation des frustrations est déjà si pesante dans un cadre plutôt agréable comme l'est le contexte des activités sportives, comment voulez-vous que l'enfant accepte les exigences plus difficiles des enseignants, des leçons ou devoirs réguliers, l'attention pendant les explications avant les exercices et le tout pour un objectif qui ne saurait être immédiat ? À l'école, l'enfant travaille pour le moyen terme, le passage en classe supérieure, et surtout pour le long terme, l'obtention de diplômes ou qualifications pour un futur métier. Les enfants rois sont frustrés dans un contexte d'objectif à court terme comme le sport (il ne s'agit bien entendu pas de hautes compétitions sportives où d'ailleurs les enfants comme les adolescents font souvent preuve d'une grande tolérance aux frustrations sans pour autant manifester des troubles de la personnalité). Comment voulez-vous qu'ils ne soient pas opposés aux contraintes scolaires ?

Il vit royalement

La mère de Jean-Édouard : « Vous savez, il s'intéresse à tellement de choses, c'est une personnalité très riche… Vous verriez sa chambre, il aime les choses différentes, cela va du magnétophone aux jeux de société, des "game boy" au théâtre de marionnettes, des livres d'aventures aux photos d'acteurs… »

Et de m'empresser de questionner sur l'éventuelle présence dans sa chambre d'un téléphone personnel ou d'un poste de télévision. « Nous ne faisons pas n'importe quoi ! » s'insurgent les parents. Jean-Édouard n'a pas tout faux mais mon interrogation n'était pas si anodine ; la présence d'un portable et d'une télévision dans la chambre d'un enfant de cet âge devient monnaie courante et sera peut-être — nous avons l'art de nous américaniser rapidement — une généralité dans quelques années.

Entendons-nous bien, nous ne sommes pas forcément pour une chambre d'enfant avec un jouet unique, un matelas et une chaise, nous tentons de comprendre comment une petite fille ou un petit garçon si jeunes peuvent avoir dirigé les adultes dans des choix d'achats. La télévision ou le portable sont rarement des idées de parents, ils savent trop les dangers encourus, mais des exigences d'enfants qui leur clament que « les autres en ont bien ». Vous ajoutez un zeste de : « quand il regarde la télé, on est tranquille » ou « un portable, cela le pousse à plus d'indépendance » et nous avons le résultat attendu : l'achat.

Le thérapeute : « Parlons de chaque jour en général, comment cela se passe du lever au coucher ? »

Et les parents de me conter le calme du matin « grâce à la télé » (pendant le petit déjeuner) mais les difficultés pour se réveiller rapidement. « Vous comprenez, c'est pas l'école qui le motive ! » J'enquête plus en avant et découvre bientôt un état des lieux des plus inquiétant : Jean-Édouard exige « sa » marque de céréales au petit déjeuner, s'habille comme « il veut », contourne allègrement la salle de bains et les règles d'hygiène, exige des menus particuliers pour ses repas, n'accepte aucun rythme pour le travail scolaire à la maison, impose ses émissions de télévision préférées, se couche très tard après de nombreux conflits… le tout est bien évidemment épicé d'altercations incessantes avec les parents. Et nous ne parlons pas des heures passées à l'école, des week-ends, des vacances ou temps de loisirs, des conflits avec la fratrie.

Les privilèges de Jean-Édouard correspondent au quotidien de l'enfant tyran. Ce dernier a su, au fil des années, imposer à ses parents et à tout l'environnement familial ses exigences, sa façon de vivre. C'est le fameux « je fais ce que je veux » subtilement dilué dans une multitude d'acquis qui, en surface, ne paraissent pas outranciers. Chez Jean-Édouard, à part l'école qui pose problème, « il est difficile mais c'est un enfant », le fait que c'est lui qui ordonne le rythme de vie de quasiment tout le monde est accepté comme une attitude bien habituelle chez les enfants « à tempérament ».

Égocentrisme, privilèges, abus de pouvoir, intolérance aux frustrations, recherche du plaisir immédiat, non-respect d'autrui, réification des adultes, aucune remise en cause personnelle, extérieur toujours coupable, comportements omnipotents… le tableau est bien noir. Il n'est pas question de dramatiser, mais de vous alerter : ces comportements inappropriés qui peuvent être banalisés ou prêter à sourire prennent rapidement de l'ampleur, véritable phénomène d'escalade, ne rendent pas leur auteur très heureux et, c'est le comble, créent la détresse, le stress autour d'eux.

Avançons déjà cette hypothèse : la séduction, la désobéissance, l'omnipotence de l'enfant tyran ne sont pas des pathologies en soi, bien entendu. En revanche, elles peuvent signer un premier pas vers des passages à l'acte beaucoup plus graves, qui se définissent cliniquement en troubles du comportement, troubles de la conduite, violence, délinquance.

Les quelques exemples de ce chapitre veulent nous sensibiliser sur deux points essentiels :

• L'enfant tyran ne se définit pas par la gravité de ses actes, mais par la multitude de petits acquis quotidiens au détriment de l'autorité adulte.

Vous avez observé que...	Vous pourriez penser que...	C'est peut-être le signe que...
Il ne dit pas bonjour.	Il est mal luné.	Manque de respect pour autrui.
Il tarde pour se coucher.	Il est anxieux le soir.	Recule l'heure du sommeil.
Il ne se lave que difficilement.	Il manque d'hygiène.	Contourne les obligations.
Il refuse l'autorité.	Il est rebelle, pas mouton.	Méprise les interdits.
Il n'aime pas les règles.	Il est autonome.	Refuse tout contrat social.
Il désobéit souvent.	Il n'est qu'un enfant.	Ne veut pas se contraindre.
Il réfute souvent les adultes.	Il est libre penseur.	Conteste et ne s'instruit pas.
Il aide parfois spontanément.	Il pense aux autres.	Décide quand il se frustre.
Il n'aime pas aider à la maison.	Il est trop jeune, ça viendra.	Ne vit que pour lui.
Il mange toujours la même chose.	Il est difficile, c'est l'âge.	Choisit son menu perpétuel.
Il regarde souvent la télévision.	Il se détend comme d'autres.	Décide des programmes.
Vous le conduisez partout.	Il ne peut pas tout faire.	Se crée un parent taxi.
Il se fâche pour un rien.	Il est susceptible.	Considère que tout est frustrant.
Il est grossier.	Il deviendra poli plus tard.	Est en colère pour tout.
Il est tout le temps agité.	Il est jeune, donc tonique.	Déteste l'ennui, la frustration.
Il veut tout tout de suite.	Il apprendra à différer.	Recherche le plaisir immédiat.

• Il n'est pas issu des seuls environnements défavorisés (comme le soulignent trop les médias) mais sait s'imposer quel que soit le contexte social.

Il est souhaitable de ne plus considérer l'enfant comme une victime du monde adulte. Ne banalisons pas ses comportements déviants, soyons vigilants sur ce que nous qualifions de « normal ». Non, il n'est pas affirmé, il ne montre pas forcément un tempérament fort quand il refuse, se révolte ou menace : il fait ce qu'il veut !

Des attitudes royales

Chez l'enfant tyran, le comportement omnipotent n'est pas forcément remarquable dans sa gravité, il sait s'inscrire dans le quotidien par une multitude de petites conquêtes. (Grande fréquence des attitudes négatives.)

L'enfant tyran sait imposer sa loi aux adultes et aux autres en général : il les manœuvre pour mieux les convaincre, les menace pour leur faire peur, les attaque pour les obliger et au final les asservit. (Comportement coercitif.)

L'enfant tyran n'est jamais responsable de ses dysfonctionnements : il est victime d'autrui, l'environnement est la cause de toutes ses difficultés. (Attributions externes.)

L'école et les loisirs sont contestés par l'enfant tyran dès que les contraintes apparaissent malgré un potentiel souvent au-dessus de la moyenne et des talents nombreux. (Intolérance aux frustrations.)

L'enfant tyran vit selon un principe de plaisir immédiat, il fait ce qu'il veut, décide, impose, vit pour lui seul. (Omnipotence.)

CHAPITRE 2

Une domination subtile sur toute la famille

« Si les enfants devenaient ce qu'en attendent ceux qui leur ont donné la vie, il n'y aurait que des dieux sur la terre. »

André POINCELOT, *Études de l'homme*.

« Nous ne sommes pas des parents tyrans ! » Combien de fois ai-je entendu cette réflexion quand j'évoquais les petites exigences quotidiennes que tout parent est en droit de demander à ses enfants, non pour montrer « qui commande ici ! » mais pour inciter au sentiment d'aide, de partage, de réciprocité.

Je me rappelle ce premier entretien avec Arthur, 9 ans, un dialogue qui n'est malheureusement pas un cas unique, mais typique du contexte éducatif de tous ces enfants rois.

À la maison, l'enfant tyran se fait servir

Le thérapeute. – Je n'ai pas entendu parler de petites tâches ménagères, quand aide-t-il à la maison ?

La mère. – Il est jeune, mais souvent c'est lui qui propose de faire un petit déjeuner le dimanche ou d'aider son père pour le bricolage.

Le thérapeute. – Quand vous lui demandez ou quand il le décide ?

La mère. – Je vous le répète, il n'est pas méchant, à part l'école qui pose problème et c'est notre seul souci finalement, il n'a pas un si mauvais fond que cela… et puis nous n'aimons pas imposer des corvées aux enfants, nous ne sommes pas une famille rigide !

Le thérapeute. – Rigide ?

La mère. – J'ai dit rigide ? Enfin, je veux dire que nous voulons que nos enfants soient heureux, bien avec nous et imposer ne sert à rien. Je vous l'ai dit, ils préfèrent faire plaisir parce qu'ils le ressentent, pas parce qu'il faut le faire !

C'est bien là le hic, ces enfants ne font jamais quand il y a imposition, demande, exigence… frustration.

Je freine mon diagnostic d'enfant tyran, de petit homme omnipotent, je regarde Arthur qui sourit désormais. Son non-verbal, ses mimiques signent un « t'as vu, je suis pas si méchant… ils n'ont rien compris… » ! Il a hâte de me raconter des choses… Je signale aux parents que « nous allons avoir une petite conversation seul à seul », et la mère, qui craint peut-être un entretien de psy-bourreau, me lance en quittant le bureau un « vous savez, il a un cœur d'or quand il veut, ce matin, il a même aidé le livreur à porter des achats dans la cuisine » ! Le père, lui, n'arrête pas d'exprimer son accord avec sa femme mais le visage est craintif, comme s'il ne fallait pas tout dire de l'enfant… peur des représailles ?

Un monde sans punitions…

Le thérapeute. – Alors, pirate ou gentil garçon ?

Arthur . – Pirate !

Le thérapeute. – Gentil pirate puisque ce matin tu as même aidé le livreur !

Arthur. – J'avais un truc pour moi pour Halloween, c'est pour ça que j'ai aidé…

Le thérapeute. – Dans ce que j'ai entendu, tu fais tout de même beaucoup de choses pas terribles dans une journée !

Arthur, large sourire aux lèvres. – Vous ne savez pas tout !

Le thérapeute. – Je m'en doute mais tu n'as jamais de punitions quand tu dépasses les limites ? L'école, cela ne va pas, les devoirs à la maison ne sont pas faits, tu n'aides jamais chez toi, beaucoup de conflits avec tout le monde… et les conséquences dans tout ça ?

Arthur. – Les conséquences ?

Le thérapeute. – Les sanctions, les punitions, ce que coûtent tes comportements quand c'est pas terrible ?

Arthur. – Ah, les punitions ! ça crie beaucoup mais pas de punition ! De toute façon mes parents disent que punir ça sert à rien.

Le thérapeute . – Tu n'as pas de récompenses non plus ?

Arthur. – Des récompenses ?

Le thérapeute. – Quand tu fais quelque chose de difficile, quelque chose de pas trop agréable pour toi, tes parents te donnent peut-être quelque chose : de l'argent, une revue, une sortie au cinéma, par exemple ?

Arthur. – Je les ai sans rien faire, ces récompenses-là, c'est des cadeaux que tu veux dire ?

Le thérapeute. – Vous !

Arthur. – Vous ?

Le thérapeute. – Tu dois me vouvoyer.

Arthur. – Mais vous me tutoyez !

Le thérapeute. – En France, c'est comme cela, les grandes personnes tutoient les plus jeunes enfants et les enfants vouvoient les plus âgés, je ne suis pas ton copain !

Arthur. – Vous me demandiez quoi ? Ah oui, les cadeaux ! Je vais vous dire, mes parents ils ont décidé de nous emmener, avec mes frères et sœurs, au parc Disney de Paris !

Le thérapeute. – Tu dois être content !

Arthur. – C'est nul... faut toujours attendre !

Beaucoup de parents ont abandonné leur autorité parce que vaincus : ils ont tout tenté, « même les sanctions n'y faisaient rien » ! C'est aussi typique chez l'enfant tyran, il nous montre une solide carapace lorsque l'on décide de le punir, d'un air de nous dire : « Vous pouvez toujours y aller, cela ne me fait rien ! » Devant cette réaction, les parents abandonnent vite les punitions. Surtout lorsque l'enfant nous gratifie, en plus, d'une apparente insensibilité affective. « J'ai l'impression que rien ne le touche ! » me confie la maman d'Alain, 13 ans : « J'ai l'impression qu'il n'éprouve rien, il est "dur", je quête des sentiments chez lui... » Comme si nos chers enfants rois avaient appris à maîtriser leur émotionnel pour mieux asseoir leur autorité. Apparente, refoulée ou réelle, cette froideur émotionnelle est déconcertante : un enfant sans affects ?

Cette distance affective qu'il manifeste dans certaines occasions (pas dans toutes, il sait aussi rebondir dans la colère dès que la frustration est majeure !) peut nous leurrer : il semble mature avant terme. « Il a toujours été plus mûr que son âge... » Que de fois n'ai-je pas entendu cette réflexion ! Mais quand je voulais en savoir un peu plus sur cette maturité, je n'obtenais que de vagues réponses sur une certaine autonomie matérielle (une vraie débrouillardise pour s'alimenter seul, faire des courses) et surtout des réflexions de parents séduits par les attitudes d'enfant-adulte de leur petit. (Quand il est capable de raisonner sur des thèmes adultes, ou de faire de l'humour, tout ce qui tourne autour des mots...)

... où l'enfant tyran n'est pas heureux

Les parents d'Arthur reviennent pour le bilan. La discussion avec Arthur m'avait conforté dans mes soupçons : il fait tout ce qu'il veut, la permissivité parentale est grande mais eux au moins ont conscience que « quelque chose ne tourne pas rond ». Encore quelques questions sur la réalité de cette impunité quand Arthur en fait des bien bonnes et l'hypothèse se trouve vérifiée. À ma réflexion : « C'est le paradis pour lui, il devrait être heureux ! », je reçois ce commentaire : « Il est toujours en colère, maussade, triste, il ne semble profiter de rien, il est aussi aigri, jaloux, il n'est heureux nulle part, ni à l'école ni chez nous, c'est pour ça que l'on est venu... » Je repense à La Bruyère et à sa définition non pas de l'enfant mais de ce que nous appelons l'enfant tyran : « Les enfants sont hautains, dédaigneux, colères, envieux, curieux, paresseux, volages, timides, intempérants, menteurs, dissimulés ; ils rient et pleurent facilement ; ils ont des joies immodérées et des afflictions amères sur de très petits sujets ; ils ne veulent pas souffrir de mal et aiment à en faire : ils sont déjà des hommes. » Non, ce n'est pas l'enfant qui mérite cette définition mais sa caricature qu'est l'enfant omnipotent, celui qui justement n'est plus enfant mais trop tôt un pseudo-adulte. La Bruyère n'avait sans doute rencontré ce jour-là qu'un de ces faux enfants et il aurait surtout pu conclure : ces enfants-là sont malheureux.

Malgré les bénéfices de son pouvoir, l'enfant tyran n'est pas heureux.

Nous poursuivons l'entretien et je propose certains tests à Arthur. La passation révèle bien des difficultés pour exploiter ses capacités à l'école (il apprend trop vite, n'a pas de méthodes) et cela relève d'une aide, mais l'essentiel demeure son quotidien et il va falloir travailler ensemble, avec les différents intervenants pour un nouveau mode d'éducation. Et les parents de s'empresser de m'assurer qu'ils écouteront mes conseils ! (j'entends surtout un « il va nous le prendre en charge, ouf ! ») et de conclure, se tournant vers Arthur qui a repris la moue insolente, la tête des mauvais jours et qui décide, lui aussi, de se balancer sur mon « non-rocking chair » : « Tu es d'accord pour voir Monsieur, c'est pour ton bien tu sais ! » Arthur me regarde, je souris mais mon regard lui adresse un « attention, je vais décider à ta place ! », et il me lance un « pourquoi pas » ! Je raccompagne mon petit monde à la porte du bureau, les parents me serrent la main avec affection. Arthur me saisit le bout des doigts, ne me regarde pas et part dans le couloir. Je le rattrape et lui demande de me dire au revoir correctement comme je l'ai fait. Il grogne un peu, obtempère et me congratule d'un large sourire. Arthur n'a jamais manqué une séance.

L'enfant tyran recherche l'autorité et des adultes significatifs.

Ces quelques anecdotes peuvent vous sensibiliser à des comportements typiques chez l'enfant tyran, des attitudes qui, vous l'avez compris, doivent être sérieusement prises en compte dans leur réalité et non dans une quelconque signification abstraite. Chaque comportement ne vaut pas le qualificatif omnipotent, mais l'accumulation de petits conflits ou passages à l'acte peut signer une installation progressive dans la tyrannie infantile.

De l'enfance à l'adolescence : tout pour lui

J'écoute, une fois de plus, une mère inquiète, fatiguée, ses yeux cernés m'en disent long sur son quotidien. Son « dernier », Félix (au sourire heureux !), est envoyé par le professeur principal. Le démarrage en classe de seconde est catastrophique, les comportements à la maison deviennent de plus en plus conflictuels.

La mère. – C'est vrai, il a bientôt 17 ans, ce n'est plus un enfant et j'ai tendance à trop m'occuper de son travail scolaire à la maison.

Le thérapeute. – Avait-il déjà travaillé seul dans le passé ?

La mère. – Oui, c'était pas mieux, il ne faisait pas ce qui était demandé, il n'avait jamais rien à faire, sauf quelquefois des devoirs en urgence.

Le thérapeute. – Et maintenant, vous tentez de l'aider de nouveau ?

La mère. – Oui, mais j'en fais de trop, je contrôle sans doute trop, je ne le laisse pas devenir indépendant et cela se passe toujours mal.

Le thérapeute. – Racontez comment se déroulent ces moments-là !

La mère. – Je vous l'ai dit, il n'accepte pas que je lui demande s'il a des devoirs ; si je rentre dans sa chambre et que je lui parle de sa musique il m'envoie promener, pas question non plus de savoir s'il rencontre des difficultés. L'autre jour, j'ai vu un début de dissertation, c'était bâclé, j'ai suggéré qu'on reprenne le plan ensemble, il voulait à tout prix sortir avec ses copains, tout juste s'il ne m'a pas insultée…

L'entretien individuel avec Félix (désormais sensiblement moins béat) ne révèle aucun excès d'hyperprotection de la part des parents, pas de manque de communication, pas d'autoritarisme non plus, un environnement familial quasiment normal. Mais à ma question « que fais-tu chez toi pour les autres ? », un grand silence et j'apprends qu'il ne s'occupe jamais de son linge, ne fait jamais de courses, n'aide jamais, ne range pas sa chambre, sort au moins deux soirées par semaine, a suffisamment d'argent de poche pour sa consommation de tabac et qu'il travaille quelquefois le samedi au bureau de son père pour payer les leçons de conduite avant ses 18 ans. Ses parents ? « Mon père pique des colères, il sait pas garder son calme… ma mère, elle, elle déprime… c'est pas marrant des parents comme ça… »

Le diagnostic qui peut sauter aux yeux : ce Félix n'est pas heureux, il est en pleine crise d'adolescence, ses comportements sont majorés par la problématique parentale, un père colérique, une mère dépressive. Mais quand je lui dis « qu'il n'en fait pas beaucoup à la maison », il me répond par un « ça va maintenant, je ne suis pas venu pour des leçons de morale » ! L'œil était vif, le verbe haut, la problématique de mon « patient désigné » s'évanouit.

Au retour de la mère, pendant la synthèse de l'entretien, ses nouvelles revendications altèrent ma première analyse. « Bon, faut se presser maintenant, je t'avais dit que je devais aller en ville ! » clame le Félix ; au « attends un peu ! » de la mère, suit immédiatement un « ça me bouffe, tu tiens jamais tes promesses » ! Au « de toute façon, je vais t'emmener en ville, sois patient ! » de la mère, j'entends un cinglant « je préfère » !

Mon nouveau diagnostic : Félix n'est pas en pleine crise d'adolescence, il n'est pas le symptôme d'un éventuel dysfonctionnement familial. Les attitudes, les mots et surtout sa réalité traduisent une prise de pouvoir déjà bien ancienne. Félix est un adolescent en crise et tient ses parents par des chantages et des conflits permanents.

Pour l'enfant tyran, l'autre est un objet

Ces comportements d'exigence, voire d'insolence sont le plus souvent les prémices de passages à l'acte plus graves, ceux que l'on retrouve à la une de nos quotidiens ou magazines. Dans le cas de Félix, nous pouvons deviner ce qui se passe lorsqu'un de ses parents tente de contrer son omnipotence ou son bon plaisir ! Chez lui, les insultes fuseront mais pas d'agressivité physique, il a tout de même acquis certaines valeurs morales dans son milieu familial.

Chez d'autres, culturellement moins favorisés ou tout simplement encore moins éduqués, la réponse à toute tentative de contrôle ou d'interdit sera la violence : après les insultes viennent les menaces, puis des coups sont échangés, des tentatives d'étranglement… Je me souviens de Jérémy, 15 ans, qui consultait pour violence domestique. Les rixes avec le père n'avaient rien d'une génération spontanée, toute son histoire témoignait d'une chosification d'autrui. Que l'adulte fût enseignant, parent, il n'était vécu que dans « ce qu'il peut me donner », autrui n'existait que pour lui procurer son plaisir immédiat. Un fait marquant, quand Jérémy avait 10 ans, il avait failli noyer une petite camarade de classe lors d'une séance de piscine à l'école : il avait voulu lui faire boire la tasse pour jouer, mais le jeu avait duré de longues secondes, il ne s'était pas rendu compte que la fillette n'était pas une bouée ou un quelconque jeu aquatique mais un être humain…

Conte ordinaire d'une soirée entre amis

Nous avons réuni des amis. Leurs deux enfants ont 13 ans pour l'aîné et 10 ans pour la petite fille, comme notre « petite dernière ». Nous ne les avions pas revus depuis une rencontre à l'occasion de grandes vacances. Plusieurs années ont passé. Très vite, les sujets de conversation tournent autour des enfants, les leurs. Jamais d'intérêt pour savoir ce que fait notre progéniture mais au contraire un monologue pour vanter les nombreux talents de leurs petits : sports, activités artistiques, école. Les demi-dieux écoutent non sans lancer des « oui mais j'ai arrêté la danse l'an dernier ! », « j'ai pas de bonnes notes en maths ! », « le piano c'est nul, je fais de la trompette l'an prochain » ! La survalorisation suscite rarement l'adhésion des enfants. Ces derniers ne supportent pas les faux compliments.

➤ *Se satisfaire immédiatement*

Nous ne sommes qu'à l'apéritif et comme mise en bouche, je ne vais pas rester sur ma faim. Les petits amuse-gueules sont à peine déposés sur la table basse du salon que nos enfants modèles se ruent dessus et enfournent arachides et autres biscuits apéritifs par poignées. Je tente de m'interposer pour maîtriser les affamés mais je me heurte au « tu sais comme c'est les enfants après des heures de voiture ! » de mon amie-mère-heureuse. Devant mon sourire crispé, elle lance un « je vous ai déjà dit de ne pas vous jeter sur les gâteaux apéritifs ! » peu convaincant. Le père sourit et ponctue d'un

« ceux-là au moins ils ne se laisseront pas mourir de faim » ! Les enfants se replient et quittent le salon. Pour mieux revenir ensuite et replonger vers des petites saucisses chaudes. Je tente de nouveau de passer les plats, les petites mains me suivent et raptent tout ce qu'elles peuvent. À mon « une minute ! » ferme se surajoute le « combien de fois faut-il vous répéter ! » de la mère mais les éclats de rire des enfants l'emportent et je ne peux qu'acquiescer au « ils ont de la personnalité ! » des parents.

Répéter ne sert à rien, l'enfant tyran s'habitue aux mots !

➤ *Toujours plus*

Cet apéritif allait présager une soirée d'enfer ! Les deux cannibales n'en resteraient pas là, ils allaient jouer avec les nôtres, fausse trêve, ils reviendraient à la charge. « On sent que tu as ton compte de gamins après une journée de travail ! » me lance l'ami. Je suis d'accord, ma profession doit me rendre irritable. « Surtout que t'es bien placé pour savoir ce qu'est un enfant ! » (donc tous les enfants se jettent sur les gâteaux apéritifs, se goinfrent et ne passent les plats à personne) poursuit l'ami. « Et puis la voiture... » « Tu ne t'es pas arrêté ? » « Si, bien sûr mais c'est long... » « On a beau avoir des bonbons, des jeux, rouler plus de quatre heures c'est dur pour eux ! » surenchérit la mère. Et j'apprends qu'ils ont déjeuné au Mc Drive (« tu comprends, avec un *happy meal* on a la paix »), mais qu'ils ont dû écouter une cassette audio favorite des petits car « le Coca-Cola les avait excités ! » et qu'un début de bagarre avait nécessité un autre arrêt dans une aire de stationnement. « Comment veux-tu qu'ils supportent d'être enfermés dans une voiture pendant des heures ? » C'est vrai, quoi de plus frustrant ! Je pensais à ces publicités pour des voitures équipées d'écrans de télévision à l'arrière... pas intérêt à regarder toujours les mêmes cassettes, les parents vont devoir s'arrêter aux vidéothèques des stations-service. Après les nombreux arrêts buffet, les loisirs à outrance, « *panem et circenses !* ».

La conversation tente de se continuer. « Leurs enfants » (les miens me lancent des yeux inquiets tout en profitant des transgressions des autres) font des allers-retours au salon et nous obtenons enfin une fausse paix à la demande de la mère : « Ils n'ont qu'à regarder la télé, ça les calmera avant le repas. » La télé ! Si encore, cela marchait avec les enfants tyrans ! Les chaînes câblées pour la jeunesse ne suffisent pas, il faut trouver une cassette de film (plutôt adulte). J'en trouve une, un film style *L'Arme fatale,* et j'apprends par l'aîné qu'ils vont souvent au cinéma, c'est « super » ! Je retourne avec les adultes et nous abordons différents thèmes dont celui des loisirs. Du choix des films au cinéma en passant par les petites vacances d'hiver ou de printemps, tout est fait pour le plaisir des enfants. Eux, les parents vont voir systématiquement ce que proposent Hollywood ou Disney, pas question de voir autre chose. *Idem* pour les congés : il faut des activités pour les occuper. « De toute façon ils préfèrent la neige au soleil, alors on fait du ski tous les ans ! »

➤ *Dénigrer les adultes*

Nos amis énumèrent tout ce qu'ils font pour les enfants, j'ai envie de leur dire « tout ce qu'ils vous imposent ». Et je m'inquiète de la vie quotidienne, comment cela se passe chez eux, à mon « ils ont l'air toniques », je reçois un « tout va bien, ils sont super. Il y a des jours où c'est plus difficile, surtout au moment des repas ou des couchers mais ils sont tellement... ». Les couchers, comme les menus, sont à la carte, cela dépend du goût de l'enfant. Je n'insiste pas, j'évoque l'école et me heurte bien vite au « si l'aîné a des problèmes cette année, il y a aussi des raisons du côté du prof… tu sais, un type vieille école, pas moderne, avec des méthodes autoritaires… ». « Il a trouvé quelqu'un en face de lui, c'est qu'il a du caractère, le fiston ! » souligne le père. Le thème se conclut par un « il y a des profs rigides, la petite, elle, a la chance d'avoir une institutrice qui aime les enfants ! » (« aïe, aïe, aïe ! » pensé-je).

➤ *Décider de tout*

« Moi, je n'aime pas les rapports de forces avec mes enfants ! » reprend le père qui câline affectueusement l'un des monstres de retour vers les miettes de gâteaux apéritifs. « Michel, j'ai faim ! » s'écrie l'enfant choyé comme pour me signifier combien l'horizontalité, le copain-copain est de mise chez eux. Pas question de papa-maman, les prénoms c'est plus jeune. Je me souviens de cet enfant difficile, élevé lui aussi au prénom parental qui se mit à dire « papa » quand il devint adolescent : « C'est quand même mon père », m'expliqua-t-il. Et nous allons vers la table de la salle à manger suite à l'exigence infantile aussitôt confortée par un « je crois que c'est le moment » de sa mère. En fait de repas, les deux enfants tyrans goûtent du bout des doigts les mets suspects, se gavent de pain et de fromage et redisparaissent dès que rassasiés, nous promettant un « retour pour le dessert ». La mère tente un « allez jouer en attendant ! » pour accompagner la décision de quitter la table qu'ils ont déjà prise. Les parents complices m'expliquent que « les repas c'est toujours trop long pour les enfants. Sans doute mais de là à sauter du hors-d'œuvre au fromage en moins de dix minutes ! » « De toute façon ils n'aiment pas le poisson ! » Je croise le regard de ma femme qui m'en dit long : « Pour les petits animaux, que du mou ! pâtes, pizzas, hamburgers, purée, frites ! »

Peu avant le dessert, ma fille aînée me demande de monter au bureau, « Ils ont bloqué l'ordinateur ! » J'apprends en montant les marches qu'ils ont tout tenté pour les calmer mais tous les jeux proposés sont vite écartés, « pas assez drôles ». « Ils ne peuvent pas rester plus de cinq minutes à s'occuper avec quelque chose » insiste ma fille. D'où sa décision de céder à leur demande, ils avaient un jeu CD-ROM offert tout récemment. La mère sent à mon ton que cela va peut-être chauffer pour ses chéris, elle me suit jusqu'au bureau et me précède auprès des rejetons : « Je vous avais dit de ne pas jouer avec le CD-ROM, c'est pour chez les grands-parents ce soir ! Et puis, vous n'aimeriez pas qu'on fasse la même chose chez vous, vous imposer comme ça ! » « Que c'est beau » pensé-je.) « Que croyez-vous qu'il ressent, c'est un outil de travail ! » (elle me regarde), j'apprécie mais ne suis pas dupe. Ce genre de discours n'est que du verbe, ce « mets-toi à la place de l'autre » n'a que peu d'impact puisque précisément c'est le dysfonctionnement premier de l'enfant tyran : son incapacité à se décentrer devant la demande de plaisir immédiat. D'ailleurs le « de toute façon, il est tard, on va bientôt partir » se transforme rapidement en « on pourra jouer au CD chez Mamy ? ». Le « on verra » de la mère ne contente pas les enfants qui ne cessent de tanner leurs parents qu'ils « veulent voir Mamy ». Bien vite, nos ennemis, pardon, nos amis quittent les lieux « parce qu'il se fait tard, les grands-parents nous attendent » ! « Ou les jeux CD ? » deviné-je. Les enfants de sourire et de s'engouffrer dans la voiture. Ils deviennent tout à coup charmants, bien calés dans leur victoire jusqu'au prochain combat. Nous serions tentés de prévenir les grands-parents mais nous sommes assurés « qu'ils sont très respectueux des personnes âgées ». Cela nous a rajeunis !

Soirée entre amis ou test diagnostic ?

Qu'un enfant apprécie les gâteaux apéritifs, c'est normal, qu'il s'en empare au détriment des autres, c'est excessif.
Qu'un enfant aime parler à table de ce qu'il fait, c'est normal, qu'il monopolise la parole, c'est excessif.
Qu'un enfant apprécie peu de mets nouveaux, c'est normal, qu'il ne goûte à rien, c'est excessif.
Qu'un enfant dise « je n'aime pas », c'est normal, qu'il dise « c'est dégoutant… », c'est excessif.
Qu'un enfant s'ennuie pendant le repas, c'est normal, qu'il doive quitter aussitôt la compagnie, c'est excessif.
Qu'un enfant demande à se distraire en dehors des adultes, c'est normal, que les adultes soient des « GO », c'est excessif.
Qu'un enfant veuille partir plus tôt, c'est normal, qu'il décide de l'heure du départ, c'est excessif.

Ni enfant tyran ni parent tyran

Il n'est pas question d'exiger d'un enfant qu'il soit parfait, qu'il ne désobéisse jamais, qu'il ne fasse pas de demandes démesurées, seule la réponse des parents nous intéresse. Il est aussi hors de propos de tout interdire, de ne rien entendre, de n'écouter aucune demande infantile, nous n'espérons pas revenir au temps des « tais-toi à table » ou des « écoute, ton père parle » ! Nous aimerions simplement que l'enfant vive sa vie d'enfant sans l'assujettissement de ses parents, toujours ce même respect du lien soi-autrui.

Je pourrais être soupçonné d'une grande intolérance aux frustrations concernant les enfants, soyez assurés que mon intolérance ne concerne que les petits chefs. Ce dîner avec nos amis aurait pu se dérouler tout à fait autrement si les enfants avaient été « canalisés ». En fait de rencontre, nous ne savions plus rien sur nos amis après leur départ. Ce qu'ils faisaient, ce qu'ils vivaient, ce qu'ils aimaient, tout tournait autour de leur progéniture, leurs enfants les avaient annulés en tant que personnes. Avions-nous envie de les revoir ? Comme souvent, l'évitement prend vite le pas lorsque des amis ont perdu leur autorité parentale au bénéfice de leurs petits. Nous risquerions d'entendre : « Nous n'allons plus chez eux, on sent bien qu'on gêne ! » Non, chers amis, « vos enfants nous gênent » !

L'enfant tyran, c'est chez les riches ?

Est-ce l'affaire de quelques milieux bourgeois favorisés ? Quand je parle des vacances à la neige, des jeux CD-ROM, des activités, vous pourriez me dire que je n'évoque qu'un milieu social particulier. La tradition de l'enfant gâté voudrait que seuls les « riches » engendrent des enfants tyrans. Las ! Professionnel aussi depuis de nombreuses années dans le monde de l'éducation spécialisée, j'ai entendu maintes fois les déclarations qui suivent : « On ne peut pas dire qu'on l'a gâté ! » « Vous savez, chez nous on n'a pas les moyens de tout lui céder ! », me rassure la mère de Julien, jeune adolescent de 15 ans qui se retrouve désormais confié à un foyer spécialisé au titre de la protection de l'enfance. Je lui avais bien sûr demandé si les actes délictueux (de nombreux vols et autres passages à l'acte étaient reprochés à Julien) n'avaient pas été précédés d'un quotidien d'enfant tyran. « Julien m'a pourtant dit qu'il avait souvent ce qu'il demandait, que vous lui donniez facilement de l'argent… » La réponse de la mère est claire : « C'était pour les cigarettes, vous voulez dire ! » Et moi d'énumérer les nombreux achats rapportés par Julien et ce depuis l'enfance : des Noëls qui n'avaient rien à envier aux plus favorisés, les jeux vidéo y figuraient en bonne place, les vêtements « de marque » dès la fin du primaire, l'achat d'un scooter (« mais d'occasion ! ») pour l'encourager dès son entrée en CAP-BEP, sans compter les autorisations de sortie dès le plus jeune âge, les menus à la carte pour l'alimentation (« et sa bouteille de Coca-Cola chaque jour ! »), les nombreux bénéfices secondaires quotidiens malgré les résultats scolaires pitoyables (abonnement à des revues, argent de poche abondant pour les « soirées entre jeunes », les inscriptions dans différents clubs malgré les interruptions). Ajouter à tout cela l'absence de toute aide à la maison et nous retrouvons le cocktail de l'enfant tyran : tout pour moi, rien pour les autres. Je ne vois donc pas une grande différence avec les enfants de milieux dits « bourgeois » et j'en fais part à la mère de Julien : « Julien n'a pas été trop défavorisé ! » « On voit bien que vous ne savez pas ce que c'est que vivre en HLM ! » me lance la mère.

Après tout c'est vrai, pensé-je, pas d'amalgame, ils n'ont pas toujours eu la vie rose. L'entretien est fini, je me dirige avec la mère dans la salle à manger du foyer où un petit goûter est organisé pour réunir les familles des adolescents confiés. Marc, le frère aîné de Julien trône déjà parmi les convives. Un éducateur propose une tasse de café et Marc de dire : « Je ne prends que du thé ! » Julien, qui vit depuis quelques jours au foyer et semble avoir déjà compris pas mal de choses : « Tu pourrais prendre du café comme tout le monde ! » Mais sa mère intervient aussitôt : « Il a toujours préféré le thé, vous n'avez pas du thé ? » L'éducateur s'exécute. À son retour, l'éducateur-serveur pose une bouilloire d'eau chaude et un sachet de thé devant Marc. Aucun merci de sa part mais un « t'aurais pas une cigarette ? » qui « met la honte » à Julien comme celui-ci me le confiera plus tard. C'est vraiment pas la vie en rose.

Les nouveaux privilèges de l'enfant tyran

Il vit dans l'impunité, les sanctions ne semblent pas faire d'effet, elles sont abandonnées.
Il est souvent survalorisé, chaque fait et geste fait l'objet de gratifications exagérées.
Il se démotive très vite, doit constamment trouver de nouveaux centres d'intérêt pour être stimulé.
Il est souvent matériellement gâté, les jeux, les loisirs et les plaisirs sont nombreux.
Il n'accepte de se frustrer que pour obtenir des bénéfices secondaires.
Il sait séduire, user du chantage affectif.
Il réifie autrui, l'autre est une chose, à son service.
Il provoque souvent le rejet de la part des autres.
Il amplifie son omnipotence avec l'âge.
Il manifeste une pseudo-maturité.
Il paraît insensible.
Il n'est pas heureux.

Enfant tyran deviendra grand ?

Tout au long de sa vie, tout petit, jeune enfant ou adolescent, l'enfant tyran ne cesse d'imposer sa loi et ce même à l'âge adulte. Le comportement d'enfant tyran est-il l'apanage des plus petits ? Je vous ai parlé des plus jeunes, des adolescents mais l'adulte enfant tyran existe aussi ! *Tanguy*, le film d'Étienne Chatiliez en est une belle démonstration. Il nous conte la difficulté que rencontre un couple de quinquagénaires pour inciter leur fils de 28 ans à quitter le domicile familial. Ce dernier prétexte les longues études pour s'incruster là où il est le mieux, chez eux. Les deux parents vont user de différentes stratégies, les idées sont originales et comiques, les situations cocasses. Derrière le thème de ce pseudo-enfant attardé, qui refuse de grandir, nous retrouvons une angoisse parentale bien connue : il n'est pas facile d'affirmer de l'autorité devant des attitudes charmantes, non conflictuelles. Comment lui faire rompre le cordon ombilical ? Les parents finiront pas entrer en conflit avec lui, ils devront rejeter leur vieil enfant qui, *happy end*, retrouvera le bonheur dans le mariage et une nouvelle (belle-) famille.

Je vois dans ce film un beau cas d'enfant tyran devenu adulte. Il ne faut pas confondre la prise de pouvoir infantile et la reddition parentale avec des comportements exclusivement caractériels, offensifs ou même guerriers. Les conquêtes sont souvent subtiles, pas besoin de conflits ouverts, l'enfant tyran sait vaincre par petites touches.

Le héros du film de Chatiliez n'y va pas par quatre chemins. Dès qu'il sent que les choses se gâtent avec les parents, il les assomme d'un : « Vous m'aimez ? » C'est le fameux chantage affectif bien révélateur des enfants tyrans. Ils savent mettre immédiatement en jeu les affects lorsque l'on évoque le réel, le matériel, le palpable. Comme le tout petit enfant qui nous lance un « vous ne m'aimez pas ! » lorsque nous lui confisquons un jouet ou tout simplement quand nous lui refusons une de ses demandes. Les parents évitent souvent une éducation où sont incluses des punitions et récompenses en invoquant que « la carotte et le bâton, c'est du chantage » ! Non, ce sont des conséquences liées aux comportements tout simplement, le vrai chantage est de lier tous ses actes à l'amour de l'autre comme le fait Tanguy. Nous sentons les parents du film victimes depuis de nombreuses années de ce chantage. Pour soi-disant ne pas perdre l'amour de leur fils, ils ont donc accepté tout ce que nous avons déjà repéré chez l'enfant tyran : il ne fait rien pour la maison, il ne se préoccupe jamais des autres, il mange à toute heure, il occupe de plus en plus de place dans l'appartement, il ne s'occupe pas du nettoyage de sa chambre, encore moins de son linge… ajoutons à cela quelques victoires adultes : les nombreuses copines viennent sous son toit, partagent le petit déjeuner en famille, ce n'est plus le « devine qui vient dîner ? » mais le « prends ton petit déjeuner ! », ce « fais comme chez toi » qui interdit aux parents d'être chez eux ! Il prend la voiture du père ou de la mère selon l'envie, ne règle aucune facture de téléphone ou autre mais bénéficie au contraire de divers petits boulots qui ne sont que de l'argent de poche !

Mais quel charmeur ! Très stratège, il a su qu'il fallait courir après les diplômes pour amadouer le père et parler d'amour pour séduire la mère.

Enfant tyran, enfant stratège

Eh oui, tous nos enfants tyrans ne sont pas des cancres invétérés ou tout du moins des élèves non performants. Certains savent ce qui fait plaisir aux parents et les achètent en retour : je suis bon à l'école, interdit de me demander quoi que ce soit. Je suis très doué en sport, les parents me doivent une assistance, un sponsoring constant. D'autres accentuent leur gentillesse : je ne sors pas avec les copains, donc n'exigez rien ou bien… ! Derrière ces comportements de façade se cachent le plus souvent des attitudes d'omnipotence, l'autre, en l'occurrence le parent, une fois de plus, est absent et n'existe que pour le bon vouloir de l'enfant tyran : pour sa performance scolaire, artistique, sportive ou tout simplement relationnelle !

Il sait se montrer stratège quand il veut obtenir. Toutes les ruses sont permises quand il s'agit de répondre à son principe de plaisir immédiat. Ces enfants nous étonnent

Quelques manœuvres habituelles chez l'enfant tyran

Ce qu'il fait…	Où et quand ?	Et pour quels bénéfices secondaires ?
Il ne pose pas de problèmes.	En vacances, en week-end ou chez des gens permissifs.	Il nous fait croire que son intolérance aux frustrations est liée à l'école ou à certaines personnes (les autoritaires).
Il prend des initiatives pour aider.	Quand il le veut et chez qui il veut.	Il n'obéit pas à ce qui est demandé au titre des routines.
Il réalise une tâche plutôt frustrante.	La veille d'un congé ou d'une sortie.	Il veut de l'argent comme récompense immédiate.
Il étudie avec l'ordinateur.	Dès que le devoir scolaire est frustrant.	Il veut rendre l'exigence scolaire moins contraignante.
Il est très loquace pendant les repas.	Surtout quand on évoque ce qui ne va pas !	Il tente de trouver des bonnes raisons à son farniente.
Il devient très sportif.	Quand les week-ends approchent.	Il évite le travail scolaire.
Il devient très câlin.	À des moments stratégiques.	Il vous désarme pour d'éventuelles sanctions.
Il pleure, montre un visage déprimé.	Sur commande.	Il annule toute volonté d'autorité.
Il fait des crises d'angoisse.	Quand « ça chauffe » au quotidien.	Il reprend un statut de victime.

quand ils passent des tests psychotechniques ou d'aptitude : ils révèlent une intelligence fine pour mieux nous convaincre de l'inanité de l'école et de ses enseignants mais deviennent beaucoup plus incompétents quand l'objectif est plus contraignant. Au quotidien, ils savent utiliser toutes sortes d'arguments et d'attitudes soi-disant positives pour nous faire adhérer à leurs projets ou certitudes. Aux définitions précédentes, nous ajoutons désormais : quels sont les bénéfices secondaires des attitudes apparemment positives ?

Quand il est positif, il faut malheureusement douter !

Test : votre enfant est-il un enfant tyran ?

Et votre enfant, est-il tyrannique ou simplement un petit de son âge, pas toujours facile mais finalement docile quand vous haussez le ton ? Pour vous aider à mieux évaluer une éventuelle omnipotence, nous vous proposons de reprendre les « acquis de Jean-Édouard » et de mentionner leur fréquence chez votre enfant. Cette liste ne saurait être exhaustive mais peut être significative d'une véritable mainmise infantile sur le quotidien familial, surtout à l'âge de 9 ans !

Si vous avez coché « oui » à plus de quinze affirmations, c'est peut-être l'indice que votre enfant suit les traces de Jean-Édouard et s'inscrit peu à peu dans le fameux « je fais ce que je veux » de l'enfant tyran. Mais pour ne pas confondre les incontournables refus, oppositions, désobéissances de tout enfant adapté avec l'indice d'un comportement omnipotent, il est nécessaire d'évaluer la fréquence de l'apparition des attitudes inadéquates.

Jean-Édouard : « Ma » journée, ou la journée d'un enfant tyran à la maison !	Mon enfant	
	Oui	**Non**
De nombreux rappels pour se lever le matin	....	....
Constat que le pyjama est rarement mis, dort en t-shirt et slip	....	....
Grincheux dès le réveil, dit rarement bonjour	....	....
Temps réduit dans la salle de bains, doutes sur son hygiène, brossage de dents	....	....
Veut toujours mettre les mêmes vêtements, refuse les propositions de changement de sa mère.......................	....	....
Beaucoup d'histoires si « son paquet de céréales » est fini, refuse tout autre produit de substitution...............	....	....
Gros problème si le jus de fruits préféré fait défaut.....	....	....
Ne prend jamais de tartines de pain sauf si elles sont très fraîches et faites par un des parents	....	....
Maugrée rapidement si le bol de chocolat (parfois imposé pour sa santé) n'est pas assez chaud	....	....
Conflit avec la petite sœur autour de l'émission de télévision à regarder, veut changer de chaîne.............	....	....
Va aux toilettes au moment de partir à l'école............	....	....
Se fait conduire en voiture alors qu'il y a des lignes régulières dans ce quartier tranquille d'une ville moyenne. (« C'est plus sûr » dit sa mère)....................	....	....
Se jette sur l'autoradio pour écouter « sa » musique, tout un problème pour en changer....................................	....	....
Le midi : ne mange plus à la cantine car la « nourriture n'est pas terrible, il ne mangerait plus du tout » et « il a du mal à s'entendre avec les autres » et puis « c'est un moment privilégié avec nous ! »	....	....
Ne met pas le couvert..	....	....
Ne mange avec avidité que ce qui est alimentation style pizza, steak haché, poissons surgelés, etc.	....	....
Quitte vite la table, ne met pas ses couverts au lave-vaisselle..	....	....
Pour le départ au collège c'est du juste à temps, il traîne dans sa chambre jusqu'au dernier moment.................	....	....
Retour de l'école : a « beaucoup besoin de détente autour du goûter, il est très fatigué ».......................................	....	....

Un peu de télévision avant de démarrer le travail scolaire	....	....
La croix et la bannière pour les devoirs et leçons	....	....
Oublie souvent le cahier de textes ou n'a que peu de choses inscrites dessus	....	....
Regarde quotidiennement son « émission favorite » à la télévision, ce qui recule l'heure du repas.....................	....	....
Au dîner : se reporter au déjeuner avec cette nuance : il reste plus longtemps à table parce « qu'il adore regarder les informations à la télévision avec ses parents, tout l'intéresse ! »	....	....
Devient vite grossier quand le parent ne cède pas........	....	....
Beaucoup de mal pour qu'il aille se coucher à une heure régulière ; quand il obtempère, fait de nombreux allers-retours dans le salon familial......................................	....	....
Évitement systématique de la salle de bains avant de se coucher	....	....
S'endort finalement assez tard, autour de 22 h 30, après « une bonne heure de game boy » *dixit* Jean-Édouard .	....	....

➤ *Des comportements inadéquats répétés*

Dans l'exercice suivant, vous trouverez des exemples de comportements particulièrement conflictuels. Notez les moindres passages à l'acte de votre enfant qui pourraient y ressembler et surtout traduisez leur répétition. Si vous répondez « souvent » pour la plupart des dysfonctionnements, vous pouvez craindre que votre enfant soit déjà bien un tyran dans certains domaines de la vie familiale.

J'ai insisté sur les multiples visages de l'enfant tyran. La tyrannie infantile qu'évoquent les médias a su se servir à un moment donné de la séduction, du chantage affectif, de toutes sortes de pressions pour mieux réifier les adultes et satisfaire avant tout l'exigence du plaisir immédiat. Devant ces attitudes, les parents sont souvent dans le déni : rien de bien préoccupant ! L'enfant tyran était cet enfant désiré de la famille mononucléaire moderne, il faudra du temps, des passages à l'acte multiples et de la désolation pour que les comportements de plus en plus tyranniques posent problème. Quand la souffrance des parents naît, la banalisation des attitudes infantiles déviantes cède peu à peu, mais pas avant. D'où cette escalade de dysfonctionnements qui choque tant les observateurs.

Attitude tyrannique et fréquence des conflits			
	Jamais	*rarement*	*souvent*
Les refus Exemple : traîner pour faire une tâche ménagère Chez vous..	....	....	....
Les désobéissances Exemple : Devoir scolaire bâclé Chez vous..	....	....	....
Les demandes de satisfaction immédiate Exemple : s'alimenter en dehors des repas Chez vous..	....	....	....
Les réactions émotionnelles disproportionnées Exemple : colères répétées devant un interdit Chez vous..	....	....	....
Les problèmes relationnels à la maison Exemple : disputes avec les parents ou la fratrie Chez vous..	....	....	....
Les problèmes relationnels en dehors de la maison Exemple : disputes avec les élèves Chez vous..	....	....	....

CHAPITRE 3

Les parents maltraités

« Qu'il est plus aigu que la dent d'un serpent
D'avoir un enfant ingrat. »

William SHAKESPEARE, *Le Roi Lear*.

L'enfant tyran sème le stress autour de lui

Bien souvent, les spécialistes soupçonnent que ce sont les parents et leurs propres difficultés personnelles qui provoquent les réactions de l'enfant. Il n'est pas question de critiquer cette opinion lorsqu'il sagit d'enfants ou d'adolescents particulièrement démunis, carencés, des êtres qui ne font que subir une réalité parentale absente, négligente, voire violente. Cependant, quand j'accompagne mes « petits chefs », je me demande réellement qui est à l'origine des conflits et des situations lourdement chargés sur le plan émotionnel. Très souvent, l'enfant, qui est amené à consulter, manifeste non pas les symptômes d'un être victime, abusé, mais arbore bien au contraire un profil dominateur, plus qu'affirmé, sûr de lui, avec tout un panel de comportements agressifs et provocateurs. Dans les faits observés, l'enfant génère, par ses oppositions, les réactions de son environnement proche : il est le véritable stimulateur des émotions parentales.

Avoir des enfants, un bonheur en plus comme le disent de nombreux parents. Aucun n'a signé pour un futur enfant tyran ! Donner la vie, éduquer, accompagner, épanouir, rendre heureux nos enfants, c'est l'espoir de toute mère, de tout père. Au départ, le désir des enfants est bien réel, les parents veulent surtout aimer et adhèrent très vite au « être parent n'est pas un métier » de Françoise Dolto.

Avec l'enfant tyran, le résultat est autre : un enfant qui nous domine, nous provoque, nous fait peur, nous déprime. Le bonheur était attendu, le stress l'emporte désormais. Les parents des enfants tyrans ne sourient plus, ne s'étonnent plus, n'admirent plus, ne sont plus heureux, ils souffrent. Vivre au quotidien avec l'enfant tyran devient facteur de stress : à la joie succède la dépression, à la sérénité la peur, à l'amour la colère.

Déclencher les réactions émotionnelles des parents va devenir pour certains l'arme favorite. Dans le fameux « beaucoup d'émotions, pas de punitions ! » que j'ai déjà rapporté, il faut y voir le premier bénéfice secondaire de l'enfant tyran : ses parents répondent avec leur stress et oublient d'éduquer. Ce sont leurs tripes qui parlent, qu'elles soient névrotiques ou non. Comme le séducteur Tanguy qui sait flatter le parent là où il convient, l'enfant tyran connaît les points faibles et ne cesse de provoquer le stress parental. Mieux vaut une bonne colère maternelle que de subir une vraie sanction, une bonne déprime paternelle que de répondre aux exigences ou *vice versa*.

Dans les exemples qui suivent, nous voyons à quel point l'émotionnel parental est utilisé pour annuler toute réaction rationnelle et les incontournables conséquences ou punitions qui s'y attachent. Non, répétons-le, la sanction que mérite l'enfant tyran dans ses débordements, n'est pas un horrible chantage affectif mais la simple logique de ses comportements inadéquats. En revanche, la provocation émotionnelle des petits tyrans est un vrai chantage affectif : laissez-moi tout faire ou je ne vous aime plus, n'exigez rien de moi ou vous souffrirez !

Le chantage affectif est une arme au service de l'enfant tyran.

L'enfant tyran culpabilise ses parents

La première arme affective utilisée est souvent de culpabiliser les parents dès que ceux-ci manifestent la moindre demande, ou dès qu'ils tentent une quelconque réprimande. Paul, 10 ans, qui me fait penser au Victor de Roger Vitrac que je vais bientôt citer, ne cesse de me prendre à témoin dès le début de notre entretien avec sa famille. Le père tente de me rassurer en m'affirmant son autorité, il a sanctionné Paul, celui-ci n'ira pas voir le dernier Disney. « Avec un pareil bulletin, de qui se moque-t-on ? »

Paul. – Vous ne savez jamais faire plaisir, vous ne savez que punir !

Le père. – Tu l'as bien mérité !

Paul. – Le papa d'Antoine, lui, il ne se fâche jamais, il est gentil !

Le père. – Dis donc, je fais pas mal de choses pour toi !

Paul. – Tu m'accompagnes pas souvent au foot…

La mère. – Tu ne lui donnes pas envie de venir avec toi avec ton comportement à l'école !

Paul. – Vous ne pensez qu'à l'école, les parents d'Antoine, ils font plein de choses avec lui !

La mère (se retournant vers moi). – Il a peut-être raison, nous fixons tout sur l'école, je l'ai déjà lu, il n'y a jamais rien de plaisant entre nous, ce n'est peut-être pas bon pour lui.

Paul. – Il a pu voir le film L'Atlantide, *lui !*

Le père (qui reprend un ton ferme). – Eh bien, chez nous, ce n'est pas le laisser-faire !

Paul. – Avec vous on sort jamais, tout pour l'école, vous n'êtes pas de vrais parents…

La mère (apparemment touchée). – Après tout ce qu'on a fait pour toi, ça suffit !

Je sens les parents chanceler, ils vont bientôt argumenter en toute bonne foi et tenter de prouver à leur fils qu'ils sont de bons parents. Je décide de couper court à la plaidoirie maternelle et reviens au sujet qui nous préoccupe : les obligations de l'enfant au quotidien, ma première hypothèse pour évaluer l'acceptation de l'exigence scolaire chez l'enfant. Les réponses sont vagues et comme d'habitude, je n'entends qu'une longue liste de devoirs parentaux, rien du côté de l'enfant. Ce dernier tente de justifier la permissivité ambiante par ses « mais vous êtes mes parents ! », « ceux d'Antoine sont vraiment sympas ! », « vous ne m'aimez pas vraiment » et autres remarques culpabilisantes. Une fois seuls, je demande à Victor si la sortie cinéma annulée est justifiée au vu des notes scolaires vraiment pas terribles. (Je tente de lui renvoyer qu'il s'agit bien d'une conséquence à son comportement et que cela n'a rien à voir avec l'amour que peuvent éprouver les parents.) Paul ne manque pas de me répondre : « Pour le Disney, c'est normal, j'ai pas bien travaillé ! »

Le thérapeute. – Tu vois, c'est peut-être normal que des parents agissent ainsi, c'est sans doute plus juste que chez Antoine !

Paul. – C'est pas ce que j'ai dit à mes parents !

Le thérapeute. – Je sais, j'ai entendu ! Tu as dû leur dire des « ils sont plus sympas, c'est des vrais parents ceux d'Antoine » !

Paul (quasiment hilare). – Ça a marché ! Je vais voir Harry Potter *mercredi prochain !*

Derrière les « vous ne m'aimez pas ! » et les « parents des autres sont vraiment des parents ! », l'enfant tyran tente de vous culpabiliser !

La pièce de Roger Vitrac[1] traduit à quel point les enfants perçoivent l'absurdité du monde des adultes. Dans cette scène, les parents tentent de reprendre un peu de pouvoir…

Charles. – Écoute ici, Victor. (Il le gifle.) C'est ma première gifle, tu as attendu neuf ans pour la recevoir, qu'elle te serve de leçon.

Victor. – Donc, qu'elle m'évite d'apprendre.

Charles. – Tu raisonnes ?

Victor. – Comme un tambour. (Nouvelle gifle.)

Du ras le bol…

Ah, ce regard effronté, cette moue insolente, qui ne peut s'empêcher de craquer dans ces moments-là ? Rien n'y fait, vous tentez désespérément de le raisonner, de le faire plier et c'est l'escalade dans la désobéissance et l'insolence. Le parent est à deux doigts de répondre violemment, l'enfant sent ce danger, ne cale pas pour autant mais vous provoque dans vos

1. Roger Vitrac, *Victor ou les enfants au pouvoir*, Paris, Gallimard, 1983.

derniers retranchements. La violence physique parentale est réprimée mais au prix d'un débordement verbal où les « avoir un gamin comme ça », « tu ne vaux pas grand-chose », « j'en ai assez de toi ! » fusent et s'amplifient.

Le conflit peut même aller jusqu'à l'affrontement physique lorsque l'enfant devient adolescent, avec les dégâts que l'on imagine pour les deux belligérants. Dans la petite enfance, les effets destructeurs du verbe parental colérique ne sont pas à minimiser, même si l'enfant stoppe l'agir devant la menace, bien vite il s'y habitue, attend que l'orage passe. « Ça lui fait du bien ! » comme le souligne Kevin, 10 ans, professionnel du cri primal paternel. Il poursuit : « Et puis après il oublie tout, je peux regarder la télévision ! »

… à la guerre familiale

M. Jean, la quarantaine, avoue ses pics de colère et la grande culpabilité qu'il ressent aussitôt après : « Sur n'importe quel sujet, il me répond, rien n'y fait alors vous comprenez… L'autre jour, il faisait hurler sa radio dans sa chambre. Je monte le voir, j'avais l'impression que j'étais dans mes droits de lui demander de baisser le son, il n'a que 12 ans, le bruit était infernal, je voulais simplement qu'il prenne conscience que nous vivons tous ensemble, que l'on doit respecter un minimum de règles… À peine arrivé, c'est le scandale, il me lance des "Je suis chez moi !" et aussitôt je lui crie dessus, je l'empoigne mais je me retiens… et puis je lui balance quelques gentillesses du genre "On ne fera rien de toi !", le ton continue de monter, je redescends épuisé, coupable aussi, tout ce drame pour baisser sa radio… alors quand il faut parler d'école… »

Voir ce grand gaillard quasiment effondré au rappel des événements est surprenant. En arriver là ! Oui, il s'agit bien d'une véritable guerre familiale avec ses premières victimes. Un collègue me rappelait qu'il « y avait beaucoup de souffrance chez l'enfant derrière cette apparente tyrannie ». Certes, l'enfant est lui aussi blessé par les combats incessants, mais pas toujours aussi fortement que ses parents. Quant à l'apparente tyrannie, je la vois bien manifeste au contraire, aucun soupçon d'un « contenu latent joyeux et aimant » derrière les comportements odieux d'omnipotence et de provocation. L'amour latent des enfants tyrans, s'il existe, est sans doute très refoulé ! Dans la réalité, nous n'assistons qu'à l'aboutissement d'une vie jusque-là sans limites, la réification d'autrui qu'il soit parent ou non, l'autre n'est qu'un objet au service de sa volonté de pouvoir et de plaisir absolus.

Et quand je tente de savoir quelles sont les conséquences des joutes quasi quotidiennes de M. Jean avec son fils, j'entends parler de fatigue, de ras le bol, d'évitement avant le prochain conflit mais au total : « C'est vrai, je ne lui ai pas enlevé la radio après l'incident… » Nous le savons, M. Jean, l'émotionnel roi est irrationnel, il ne fait que nous rendre encore plus impuissant devant le réel. Mais je peux entendre vos petites voix intérieures, votre monologue, vos cognitions comme nous les définissons dans notre jargon : « Un enfant doit obéir ! », « Il ne doit pas provoquer ma colère ! », « Il faut qu'il cale ! » sans parler des « Pour qui me prend-il ? », « Il va voir qui commande ici ! » Vous ne cessez donc de vous endoctriner et vous ajoutez à la situation difficile votre propre autodéfaitisme.

Non, ce n'est pas « un enfant doit caler » qu'il faut se répéter inlassablement mais « un enfant tyran ne cale pas, surtout devant l'émotionnel parental », « quels autres moyens peut-on utiliser pour reconquérir de l'autorité ? » Toujours cette même irrationalité humaine quand il nous faut nous accommoder à une réalité déplaisante : nous n'aurions pas l'idée de demander à un enfant paralytique de marcher et nous exigeons que l'enfant tyran abdique sur un mot !

S'il doit y avoir recul de son omnipotence, ce le sera par des attitudes rationnelles, quasiment stratégiques et non par des réponses émotionnelles.

Et puis nous le savons bien, la colère rejette l'enfant dans son ensemble, sa personnalité entière sera visée dans cette guerre totale alors qu'une conséquence appropriée (enlever la radio) peut déclencher un nouveau conflit mais sur l'objet du délit lui-même, non sur la personne.

> Au « J'en ai assez de toi ! » synonyme de « Je ne t'aime pas ! », substituons le « Je te supprime tel objet ou loisir », synonyme de « Je n'aime pas quand tu fais ça ! »

Les parents capitulent et deviennent des « collaborateurs »

Les cartouches colériques sont utilisées, les derniers combats n'ont rien donné, la souffrance parentale est telle que la terreur succède à la riposte. Terrorisés, les parents peuvent bientôt s'enfermer dans des attitudes d'évitement : « On ne lui demande plus rien », « On n'en pouvait plus, alors on a cédé ! » La peur et l'anxiété vont désormais les ronger. Pas de pitié pour les vaincus, l'enfant tyran parachève sa victoire, il n'acceptera plus que la soumission, la collaboration. Les parents vont tenter un nouveau stratagème qui ne fera que majorer l'omnipotence du petit tyran. Il sera flatté, adulé et surtout défendu dans l'adversité. Souvenons-nous, les accusations parentales dès que l'enfant tyran est mis en cause à l'école, l'ennemi devient l'enseignant ou plus simplement tout être humain qui se permet de résister à la dictature infantile. Rappelons cette anecdote relatée dans un magazine et que nous souhaitons véridique dans sa conclusion :

« L'attente est un peu longue à la caisse du supermarché. Pour passer le temps, le petit garçon qui doit avoir dans les 6 ans balance sa jambe vers la dame âgée qui est devant lui. C'est rigolo, il touche presque son sac. Il balance sa jambe de plus en plus fort et maintenant il la heurte du bout de son pied. Une fois, deux fois. La dame âgée se retourne et demande à la mère d'intervenir. Mais la maman n'a pas envie de gronder son enfant : mieux, elle prend son parti : "Madame, nous sommes en démocratie et mon fils fait ce qu'il lui plaît !", assène-t-elle. Intervient alors un monsieur qui va se révéler le héros de l'histoire. Calmement, il prend dans son chariot un pot de miel, l'ouvre et le renverse tranquillement sur la tête du petit garçon, sous le regard horrifié de la mère : "Madame, nous sommes en démocratie et je fais ce que je veux !" »

Dans cette anecdote, la mère qui justifie les comportements de son enfant a capitulé et c'est par crainte d'en provoquer d'autres qu'elle le soutient si fort. Parfois, le parent se range aux côtés de l'enfant pour régler sa propre problématique avec l'école, les autres, la société en général. Cette hypothèse très psychologique ou sociologique n'est pas à exclure, mais combien de fois ai-je vu ces parents « collaborateurs » le faire parce qu'ils n'avaient plus le choix : donner raison aux autres, contre leur enfant, ne ferait qu'aggraver les conflits familiaux et provoquerait une répression encore plus forte. « C'était ça ou la guerre quotidienne, si nous avons calé c'était pour avoir la paix », me dit la maman de Kevin.

Oui, une fausse paix par crainte des représailles : la collaboration n'est pas toujours philosophique ou active, elle l'est aussi au diapason de la dictature encourue. Et cette paix tant recherchée, qui ne l'a pas voulue ? Nous-mêmes, devant des enfants tyrans, n'avons-nous pas brossé la bête dans le sens du poil ? Je me souviens cette invitation où un enfant tyran avait monopolisé la soirée au profit de « sa » création avec son théâtre de guignol.

Au théâtre ce soir

Tous les adultes attendaient l'événement, il ne s'agissait pas d'un petit spectacle d'enfants proposé à la fin d'un repas comme il peut arriver. Non, dès l'arrivée dans cette famille, l'enfant tyran, 8 ans, l'avait dit : « Et vous verrez mon spectacle tout à l'heure ! » Ce fameux spectacle où chaque dialogue ne faisait que refléter son omnipotence, son Moi grandiose. C'était Louis XIV jeune, l'enfant tyran réel, mais celui-là, rien ne nous obligeait à applaudir si fort, à rire à gorge déployée aux répliques ridicules. Et à la fin du spectacle, nous étions tous dans ce qui faisait office de loge d'artiste et je l'ai bien dit : « Tu seras un sacré acteur plus tard ! C'était excellent ! » Je collaborais, je ne pouvais donc plus éviter la répétition du spectacle que réclamait le « bis » parental. Quelle soirée divertissante ! Pierre Desproges grimaçait devant les cadeaux des chers petits au moment des fêtes des mères et des pères : comment s'extasier devant un collier de nouilles ? Applaudir une seconde fois le théâtre de l'enfant tyran n'avait plus rien de comique, je détestais ce petit metteur en scène mais je souffrais surtout d'avoir été mis en scène toute la soirée. La collaboration n'est pas toujours une histoire d'amour, elle signe souvent l'impuissance, voire la souffrance.

Charles. – Ah, bougre de gosse ! Quel bonhomme, hein ? Que voulez-vous, il faut bien lui passer quelque chose, il nous donne tant de satisfactions. Son professeur, que j'ai rencontré hier, me le répétait encore. Ce garçon, s'il ne lui arrive rien, il ira loin, croyez-moi, il ira très loin. Il est terriblement intelligent. Vous entendez Thérèse, terriblement.

Thérèse. – J'entends bien, il est terrible[2] !

Quand la démission parentale devient collaboration, l'enfant tyran est désormais le maître de la famille, plus besoin de harceler, de provoquer les conflits, son langage princier suffit pour exiger l'obéissance :

« Gardez-vous surtout de donner à l'enfant de vaines formules de politesse, qui lui servent au besoin de paroles magiques pour soumettre à ses volontés tout ce qui l'entoure, et obtenir à l'instant ce qu'il lui plaît… On voit d'abord que s'il vous plaît signifie dans leur bouche il me plaît, et que je vous prie signifie je vous ordonne. Admirable politesse, qui n'aboutit pour eux qu'à changer le sens des mots, et à ne pouvoir jamais parler autrement qu'avec empire[3] !… »

La dépression guette les parents

Le général. – Victor, viens près de moi. On voudrait te faire plaisir ; on a neuf ans. Qu'est-ce qui lui ferait vraiment un grand, mais, là, un grand plaisir ?

Victor. – Eh bien, je voudrais jouer à dada avec vous.

Le général. – Quoi ?

Victor. – Oui, comme Henri IV. Vous vous mettez à quatre pattes, j'enfourche ma monture et on fait le tour de la table…

Émilie. – C'est intolérable. Victor, demande autre chose, voyons !

---

2. Roger Vitrac, *op. cit.*
3. Jean-Jacques Rousseau, *Émile ou De l'éducation,* Paris, GF Flammarion.

Le général. – Mais c'est très gentil ce qu'on me demande là. Je ne te refuserai pas cette grâce, mon cher Victor. En selle[4] !

Ce texte est plaisant, mais la réalité l'est moins. D'objet de satisfaction, le parent peut passer à objet tout court, ce n'est plus la manipulation qui est visée mais l'annulation pure et simple de l'existence de l'autre. L'enfant qui tyrannise peut déclencher des dépressions parentales. Une fois de plus, nous voyons combien la tyrannie infantile peut générer des pathologies chez les parents et pas forcément l'inverse. La maltraitance parentale est bien là.

Madame F. consulte, son médecin traitant la soigne pour dépression, elle veut entamer une psychothérapie. « Je ne vais pas bien, je dois travailler sur moi ! » Le tableau clinique est réellement typique d'un syndrome dépressif. Très vite, l'entretien tourne à l'autoflagellation, elle évoque tour à tour tout ce qu'elle rate au quotidien : le travail ne lui convient pas, son couple est peu motivant, rien ne l'intéresse vraiment, et les enfants…

« Je n'en peux plus et je ne montre qu'une loque aux enfants, je suis souvent couchée, j'ai la force de ne rien faire, je ne sais plus m'occuper d'eux… je m'efforce de faire des choses mais je n'y arrive pas… pas envie d'aider aux devoirs, je n'ai pas le cœur à l'ouvrage quand je les accompagne dans leurs activités du mercredi, je fais juste le minimum pour les repas, je ne suis plus câline, j'écourte les lectures au lit, je ne suis plus à la hauteur… Géraldine me l'a bien dit, elle pense comme son père : "Tu ne devrais pas déprimer Maman !" »

---

4. Roger Vitrac, *ibid.*

Stress parental et conséquences

Vous ressentez…	**Vous provoquez…**	**Vous prenez le risque…**
De la colère.	Du rejet affectif (« il devrait ») mais vous ne donnez pas de conséquences (sanctions).	De contre-agresser : escalade dans le conflit.
De l'anxiété.	De la crainte, une peur d'échouer ou de déplaire (« j'aurais dû »).	De vous inhiber, de laisser faire, d'éviter le conflit.
De la culpabilité.	De la surenchère (affective ou matérielle).	De « collaborer » en renforçant ses acquis, ses privilèges. Le non-conflit.
De la déprime.	De l'autodépréciation (« je suis nul »).	De vous sanctionner : fuite, retrait, inhibition totale, comportements d'autodéfaitisme. C'est vous qui êtes en conflit !

L'entretien se poursuit, mes questions sur la vie quotidienne m'apprennent que c'est dur, que « cela a toujours été dur avec Géraldine », que, depuis que sa fille est toute petite, elle prend « tout le territoire » et la maman de me confier peu à peu que tout est fait pour Géraldine, que même son mari l'oublie pour elle, qu'elle en demande toujours plus… « Ça me déprime ! » conclut-elle. Nous avons gardé cette hypothèse et avons travaillé sur la prise de pouvoir de leur enfant et au fur et à mesure des informations, Géraldine s'affirmait bien en petit tyran féminin. Nous avions oublié de le dire, le sexe n'a rien à voir là-dedans, les petites filles sont aussi performantes que les petits mâles quand il s'agit de régner en famille. La comtesse de Ségur l'avait compris avec sa Sophie et les autres. La psychothérapie deviendra un haut lieu de résistance à Géraldine et peu à peu j'aide Madame F. à dialoguer avec son mari pour reprendre de l'autorité sur leur enfant. Ainsi, la dépression fait place à : « C'est dur de l'éduquer ! » Madame F. se sent mieux et sait que Géraldine doit infléchir son omnipotence pour lui permettre de vivre aussi pour elle. Elle reprend des activités et n'hésite plus à dire à la petite reine : « J'existe aussi ! »

Le couple menacé par l'enfant tyran

L'hypothèse la plus reconnue, celle qu'évoquent fréquemment les parents : c'est peut-être parce que notre couple ne va pas bien qu'il se comporte comme cela. L'enfant est-il l'enjeu inconscient des difficultés conjugales ? Cela peut bien sûr arriver mais, pour l'instant, intéressons-nous aux dysfonctionnements de couple que provoque inéluctablement un enfant tyran. Au « c'est nous qui n'allons pas bien », nous osons substituer : l'enfant tyran n'est pas systématiquement le patient désigné mais il peut être au contraire parfois déterminant dans les conflits entre parents.

Chacun de nous, selon son tempérament, son vécu, selon l'influence environnementale et bien sûr selon ses croyances, véritables synthèses des facteurs précités, répond de façon spécifique aux attaques d'un enfant tyran. Bien vite, comme si cela ne suffisait pas, c'est le couple lui-même qui semble répondre aux émotions et se met donc en péril.

Émilie, 6 ans, pose de nombreux problèmes à l'école (elle entre en CP cette année). Comme à la maison, « elle n'en fait qu'à sa tête » ! Elle rejoint la salle d'attente : j'ai besoin d'écouter les parents qui m'ont paru bien remontés l'un contre l'autre. J'essaie d'éviter une scène conjugale devant l'enfant. Je leur demande à peine qui fait quoi quand il s'agit d'affronter leur fille, que les premières flèches sont lancées.

La femme. – Mon mari évite tout conflit. Je suis toute seule à vouloir qu'Émilie m'obéisse, lui, il n'est là que pour les loisirs, il joue avec elle, fait du vélo, c'est moi la mère Fouettard. Il n'est jamais d'accord pour prendre des sanctions, il a le bon rôle, je suis toute seule pour éduquer Émilie et elle est dure !

Le mari. – Pas si dure que ça, c'est encore une enfant, il ne faut pas tout dramatiser, elle a de bons côtés, les problèmes apparaissent toujours avec toi !

La femme. – Vous voyez, toutes les excuses pour Émilie, c'est mon problème, je dramatise !

Cette autre fois, le père de Julien n'en peut plus et attaque sa femme devant l'enfant qui me regarde satisfait de ce conflit parental, dernière étape avant le pouvoir absolu.

Le père de Julien (s'adressant à son épouse). – Tu me demandes d'intervenir à peine rentré du travail mais il faut le tenir avant ! Tu le gâtes, Monsieur a des goûters de prince, tu l'aides pendant des heures pour le travail scolaire, il ne fait rien et c'est à moi de le punir ! Quel bon rôle !

La mère. – Je suis toujours au front, tu n'es jamais là, je ne peux pas être sa mère et son père en même temps !

Le père. – Parce qu'être père c'est punir tout le temps ? En tout cas, toi, tu le maternes trop…

La mère. – Je suis sa mère !

Et Julien de rire devant cette redéfinition des rôles parentaux : l'impuissance domine, il a encore de beaux jours devant lui. Pourtant, il sait que cette discorde, sur le fond, ne le rend guère heureux, même si elle lui procure tant de bénéfices secondaires pour son principe de plaisir immédiat. Il me confiera, en l'absence des deux parents, qu'il a droit à de très agréables réflexions quand il y a bagarre : du « c'est bien ton fils ! » au « de toute façon, je ne voulais pas de gosse » : l'émotionnel parental va bientôt traduire du rejet et renforcer les comportements agressifs de l'enfant tyran.

S'il n'est pas possible de nier que des mésententes conjugales profondes peuvent engendrer une prise de pouvoir des enfants, par réaction, nous avons souvent entendu ces témoignages : « Sans lui, c'est parfait... », « Nous nous entendons bien, c'est toujours à cause de lui que l'on se dispute », « Il n'y aurait que ses frères et sœurs, ce serait parfait ! », « Tout tourne autour de lui, la maison, l'école, il n'y en a que pour lui ! », « C'est lui qui décide de l'ambiance au quotidien ! » et lorsque cela devient plus grave : « Il nous fera nous séparer ! », « Comment voulez-vous vivre avec une femme complice avec notre enfant et hostile avec moi ! », « Ce n'est plus l'image d'un homme quand je le vois démissionner devant la petite », « Elle n'existe que pour lui, c'est le deuxième homme à la maison, cela donne envie de tout arrêter ».

Il n'y a pas que les parents qui sont stressés

Il n'y a pas que vous, parents. Tous ceux qui côtoient, vivent, ont à faire avec l'enfant tyran semblent souffrir des mêmes symptômes : du sentiment d'impuissance à l'angoisse de ne plus savoir quoi faire, des réactions colériques au rejet pur et simple. Lorsque je travaille avec un enfant tyran, j'insiste toujours pour que tous les différents intervenants, familiaux et extrafamiliaux coopèrent, nous nous devons de parler d'un même ton.

À cette occasion, j'entends le plus souvent ces commentaires des enseignants, des éducateurs, des psychologues ou des pédopsychiatres : « Ce genre d'enfant nous met en échec, c'est un constat d'impuissance », « Ils sont réfractaires à toute approche classique », « Ce sont des têtes à claques, j'ai bien du mal à rester empathique ! », « Des petits despotes même pas éclairés ! », « On perd du temps avec eux », « Ils sont désagréables, même tout jeunes, provocateurs », « De vrais nazillons ! »

Alors, selon notre obédience, la tentation est grande de revenir à nos interprétations et intellectualisations pour « comprendre » l'enfant tyran. C'est sans doute beaucoup plus facile que d'avouer que ces enfants, comme vous parents, nous mettent souvent en échec, nous font passer par tous nos registres émotionnels et sèment le plus souvent la zizanie entre les différents acteurs. Leur souffrance est souvent secondaire et les bénéfices acquis font qu'ils ne sont que très rarement en demande d'aide ! Mais je l'ai déjà souligné, reconnaître notre manque de savoir-faire est le premier pas pour s'attaquer au problème, mettons notre amour propre de côté et collaborons tous !

Sans conclure définitivement sur ce qu'est l'enfant tyran et sans vouloir dresser une liste exhaustive qui l'enfermerait dans une quelconque nouvelle pathologie, il est bon d'ajouter quelques particularités aux premières caractéristiques décrites dans les deux premiers chapitres.

Contrairement aux images d'Épinal des interprétations de la psychologie classique, l'enfant n'est pas toujours la « victime ». L'enfant tyran n'a non seulement vécu aucune carence,

Problème de couple et enfant tyran : la poule et l'œuf

Il provoque…	**Vous pensez…**	**C'est peut-être qu'il…**
Des incohérences, de nombreux désaccords entre vous.	Que votre couple va mal, que vous communiquez mal.	Divise pour mieux régner.
L'émotionnel d'un des deux parents.	Que vous n'avez pas de self-control.	Évite une réelle sanction.
Votre attention permanente.	Qu'il est en demande, que votre famille le carence.	Vous considère comme ses domestiques.

aucun trauma, mais peut se comporter en tyran lorsqu'il s'attaque aux autres et aux parents en particulier.

Ce chapitre ne pousse pas à l'optimisme : la gestion émotionnelle des parents, comme la nôtre, est bien difficile dans le quotidien avec l'enfant tyran. Le tableau est sinistre : il a pris le pouvoir, nous sommes anéantis ou dominés, impuissants ou injustes… mais pourquoi en sommes-nous arrivés là, comment cette guerre s'est-elle déclenchée ? Il nous faut réfléchir et comprendre pour retrouver un savoir-faire et surtout renouer avec le bonheur d'avoir des enfants, c'est possible.

L'enfant tyran : ses caractéristiques

Il règne au quotidien.
Il est coercitif (de la séduction à la menace ou violence), séducteur, parfois maître chanteur.
Il montre une pseudo-maturité (ou pseudo-précocité).
Il vit dans l'impunité (apparemment imperméable aux sanctions).
Il ne se remet pas en cause mais accuse toujours l'extérieur.
Il est souvent survalorisé.
Il obtient tout ce qu'il veut et réifie autrui (se fait servir, choisit toutes ses activités, décide des loisirs familiaux).
Il se démotive très vite, il est insatiable, il lui faut constamment du nouveau (occupations).
Il recherche un plaisir immédiat.
Il est matériellement gâté.
Il est intolérant aux frustrations.
Il provoque l'émotionnel des parents (colère, anxiété, dépression).
Il est aussi facteur de stress pour tous les adultes qui s'en occupent.
Il peut détruire pour son bon plaisir.

Mais… il n'est pas heureux.

CHAPITRE 4

La faute à qui ?

> « Je me suis demandé souvent si mes difficultés tenaient à moi, à ce qu'on avait appelé très tôt mon “mauvais caractère”. »
>
> Pierre BOURDIEU.

Comment en est-on arrivé là ? Que s'est-il passé pour qu'un enfant ait peu à peu conquis le territoire familial ? Comment expliquer les continuelles victoires de l'enfant tyran, puisque nous l'avons déjà énoncé, les parents sont présents, aimants et le plus souvent intervenants ? Il est utile de reprendre les hypothèses les plus couramment invoquées.

L'enfant tyran, victime de la société d'aujourd'hui ?

Le contexte sociologique au sens large est bien sûr souvent invoqué dans la genèse de la tyrannie. L'enfant tyran n'est pas une génération spontanée, les excès de notre société de consommation peuvent expliquer les comportements infantiles que j'ai déjà décrits. Nos civilisations occidentales favorisées exercent un impact certain sur nos enfants quelle que soit notre volonté éducative : société marchande outrancière, philosophie de la réussite sociale et du principe de plaisir roi. Les injonctions culturelles du « tout pour l'enfant », bien légitimes après le « rien pour l'enfant » des siècles précédents ont, elles aussi, participé à l'omnipotence infantile, nous sommes bien vite passés de l'enfant esclave à l'enfant tyran.

➤ *La société de consommation, responsable de la tyrannie ?*

L'enfant tyran est aussi le produit des valeurs ou non-valeurs actuelles. « Il existait des professions qui exigeaient des vertus d'honnêteté et parfois de désintéressement : on trouve plutôt aujourd'hui des métiers où l'intérêt personnel est le modèle déterminant[1]. » Le modèle proposé est vite compris, il s'agit bien de dominer l'autre pour vivre et non de respecter autrui. Le respect outrancier souffre historiquement d'une trop grande acceptation des pouvoirs, la promotion du « Moi, Moi, Moi » alimente incontestablement le recul du lien social.

En restant plus prosaïque, il est impossible de nier le pouvoir de la consommation au sens propre. Tout est fait pour que l'enfant tyran consomme. Il veut du plaisir immédiat, les multinationales du jouet ou du spectacle vont stimuler les dépenses au gré de telle sortie de film ou de tel produit nouveau, les Noëls sont banalisés, les anniversaires les remplacent, les fêtes deviennent anniversaires et chaque jour voit naître de nouvelles sollicitations, des vacances multipliées aux jeux vidéo nouveaux, des modes vestimentaires aux nouvelles activités de loisirs. L'enfant tyran s'engouffre dans ce plaisir immédiat de la société de consommation, mais n'est-ce pas justement pour cela que la

1. Louis Roussel, *L'Enfance oubliée*, Paris, Odile Jacob, 2001.

médiation parentale doit le protéger encore plus ? Au fameux « c'est la faute à Disney ! », pouvons-nous substituer un « que proposer d'autre ? » qui semble des plus salutaire.

➤ *La télévision, mère de tous les maux ?*

La lutte paraît inégale. Comment faire devant l'*Homo economicus* qui nous impose quotidiennement sa loi ? Certes, l'éducation parentale est bien fragile au regard des multinationales de la consommation. Les médias et surtout la télévision portent leur part de responsabilité. Je regardais récemment une émission télévisée qui louait les talents d'enfants de 5 à 12 ou 13 ans. L'un chantait, l'autre amusait, le troisième déclamait, sans oublier le sportif-né ou le Mozart précoce. Tous avaient cette moue bien reconnaissable de l'enfant roi, cette autosuffisance, cette certitude de surpasser tout le monde. Et les animateurs d'en rajouter avec une foule d'exclamations du style « vous êtes géniaux » ! Quant aux parents, ils n'étaient là que pour admirer, flatter, congratuler, remercier les petits de leur donner autant de bonheur.

Des enfants ? Aveuglé sans doute par ma peur de la tyrannie infantile, je n'en ai pas vu. Pas de petits sourires en coin, pas de fraîcheur, d'innocence, de curiosité, j'avais devant moi des jeunes petits vieux qui parlaient déjà comme les adultes vedettes de ces mêmes chaînes de télévision : « Moi, je… », « Plus tard, je ferai… », « Je sais que… ». Je m'entendais réclamer l'émission de télévision à succès des années 1980, *L'École des fans* de Jacques Martin où ce dernier, dans un exercice de style un peu risqué, avait réussi à laisser aux enfants des mots, des attitudes d'enfants. La timidité l'emportait souvent sur l'affirmation, la gentillesse sur l'égocentrisme et la maladresse sur le professionnalisme. Me faire regretter Jacques Martin !… Écoutons cette précision de Louis Roussel :

« La morale latente de la télévision est celle que développent certaines émissions pour les jeunes. Elle affirme après Margaret Mead que nous sommes désormais à une époque où les enfants sont en avance sur leurs parents et où la sagesse de ceux-ci consiste, au bout du compte, à prendre modèle sur eux. Comment les enfants ne seraient-ils pas sensibles à cette inversion de la hiérarchie entre générations. À la télévision, ils sont vraiment "chez eux". »

➤ *Estime de soi ou délire de soi ?*

Être aimé, c'est bien sûr être protégé, soigné, nourri mais aussi être reconnu, valorisé dans ses compétences, aidé dans ses échecs, gratifié dans ses succès. L'estime de soi ne peut se forger que sur des bases éducatives positives solides[2]. Les enfants des époques où la carence affective, voire la maltraitance dominaient ne développaient guère cette sécurité interne puisqu'ils n'étaient qu'un passage entre l'enfance et l'âge adulte, une étape et non la reconnaissance d'un être à part entière. Cette estime de soi, véritable fondement de la personnalité cède le pas, chez l'enfant tyran, à une sorte de survalorisation, une hypertrophie de moi, un délire de soi.

Peut-on parler d'une bonne estime de soi quand j'entends Louis, 9 ans, en classe de CM1, qui conteste, pendant une séance en thérapie, l'exercice de logique de raisonnement qu'il doit effectuer ?

Louis (pointant une réponse possible d'un petit test de logique parmi six propositions). – Ça ne peut être que cette réponse !

---

2. André C. et Lelord F., *L'Estime de soi*, Paris, Odile Jacob, 1999.

Le thérapeute. – Tu as bien réfléchi à tous les détails, tu as bien regardé ?

Louis. – J'en ai déjà fait, je connais !

Le thérapeute. – Oui, mais ce n'est pas la bonne réponse.

Louis. – Pas possible, c'est pas vrai... et de tenter de me prouver par A + B que la solution n'est pas la bonne mais que la sienne est des plus logique. Beaucoup se satisfont de ce genre de réflexion, ils y voient une excellente confiance en soi, une personnalité qui ne se démonte pas devant l'adversité, une grande solidité interne.

Louis. – L'exercice est nul, c'est pas comme ça qu'il aurait fallu le faire...

Il ne cédera pas devant l'évidence. En psychologue que je suis, je tente de dévoiler un sombre sentiment d'impuissance et de dévalorisation derrière cette pseudo-arrogance. Je n'obtiens pour réponse qu'un : « J'ai déjà montré à l'instit l'autre jour qu'il s'était trompé, je sais que je suis intelligent ! » Le père me le confirmera plus tard : « Vous devriez le voir participer à des conversations adultes, il est loin d'être sot, le bougre ! »

Oui, mais incapable d'accepter le « conflit cognitif » (être déstabilisé, frustré devant un nouveau problème à résoudre), l'incontournable remise en cause de ses connaissances dans l'acquisition de tout savoir nouveau. Et de repenser à Rousseau lorsqu'il condamnait « l'enfant qui réfute » parce qu'il n'apprenait pas !

➤ *Une société qui fabrique des familles éclatées*

Le nombre des divorces augmente et beaucoup y voient la clef de la carence éducative. Suite à une séparation, la famille peut devenir « matriarcale », le père n'a plus que la portion congrue du partage éducatif. Elle peut être « monoparentale », un des parents se retrouve définitivement exclu, ou « recomposée », un tiers devient acteur principal.

Il est sans doute plus facile d'élever un enfant dans un contexte familial plus traditionnel, mais nous ne reviendrons pas sur les méfaits de la non-séparation de certains couples pour le soi-disant bonheur de leurs enfants. Nous voyons surtout que l'incohérence éducative entre les différents intervenants est le premier indice de la prise de pouvoir d'un enfant dans ces familles dites éclatées. La séparation elle-même, quoique toujours douloureuse pour l'enfant au départ, devient vite un facteur d'omnipotence pour l'enfant tyran. Telle mère exige que les leçons et devoirs soient faits chaque soir et l'enfant tyran passe un week-end paternel dans le jeu et le loisir, sans aucune obligation. Tel beau-père tente de suivre scolairement ses beaux-enfants, il se heurtera bien vite aux contradictions du « vrai père » qui, lui, ne pense qu'à compenser son absence quotidienne par des activités de tous ordres mais surtout non frustrantes. Les mères ne sont pas absentes de ce schéma lorsqu'elles gratifient l'enfant d'un goûter somptueux au retour d'un dimanche particulièrement difficile que l'enfant vient de passer avec un père obnubilé par le bulletin scolaire. L'incommunicabilité des parents divorcés l'emporte toujours sur la séparation elle-même.

➤ *Une société qui place l'enfant au centre de la famille*

La famille mononucléaire tend à se replier sur elle-même, l'enfant devient vite le centre vital du couple, on s'est marié et on vit ensemble pour lui. Et, puisque le principe de réalité est le plus souvent refusé, la famille se doit de devenir un lieu privilégié pour le principe de plaisir : l'enfant devra donc y participer, au risque de le perdre. « Objet d'un désir dans une conjugalité orientée vers le bonheur, l'enfant se doit d'être d'abord un prestateur de gratification pour ses parents » continue Louis

Roussel. Et, puisque l'éducation est aussi frustration pour l'enfant et qu'elle risque de provoquer sa colère et notre propre frustration en retour, autant la rendre la plus plaisante possible.

➤ *Une société qui incite au bonheur individuel*

« Il y avait une harmonie logique entre société, mariage et éducation de l'enfant. C'est un paradigme holiste qui, aujourd'hui, a été récusé. La nouvelle société, celle dans laquelle nous vivons, se fonde désormais sur l'individu. C'est le bonheur individuel qui est la fin ultime de chacun. » Nous sommes en plein accord avec cette réflexion de Louis Roussel[3] qui ne peut que nous stimuler, nous les parents, à réintroduire au quotidien quelques valeurs altruistes soi-disant désuètes.

Nous ne saurions accepter cette prégnance contextuelle ou sociologique. Nous pouvons influer sur elle. Après tout, l'interaction ne va-t-elle pas dans les deux sens ?

➤ *L'enfant, victime de l'Éducation nationale ?*

Dans un quotidien régional[4], Gabriel Cohn-Bendit, pédagogue, réplique à l'interview de la psychanalyste Christiane Olivier parue quelque temps avant, et déclare : « Si les enfants n'aiment pas l'école… les parents n'y sont presque pour rien. C'est à l'école de se faire aimer. » L'Éducation nationale se doit de revoir très rapidement sa propre responsabilité dans les phénomènes d'échec scolaire ou tout simplement de démotivation, nous sommes bien d'accord. Mais nier l'importance de l'éducation parentale pour ne mettre en cause que l'enseignement au sens large nous paraît périlleux et renfor-

---

3. *Op. cit.*
4. *Ouest-France*, mars 2002.

cer les croyances de l'enfant tyran qui ne « veut pas d'une école qui ne lui plaît pas » !

S'il n'y avait que l'école ! Je l'ai déjà souligné, l'enfant tyran conteste tout ce qui heurte son principe de plaisir et combien de fois ai-je vu ces enfants me parler de leurs classes « spéciales », « adaptées » ou « pilotes ». Tout avait été fait pour qu'ils reprennent goût à la scolarité : matières et horaires aménagés, suivi spécifique par des adultes, enseignement des plus modernes. Nous entendions pourtant ces réflexions la veille d'un baccalauréat incontournable : « On nous a laissé tout faire jusque-là et maintenant ils veulent qu'on travaille ! », « C'était super de rendre les devoirs quand on voulait mais j'ai surtout appris à ne rien faire ! », « Mon bac, mention Arts, avec le coefficient fort pour le cinéma, il ne vaut pas grand-chose, j'ai l'impression qu'on me l'a donné... », « Les profs sont plus démagogues que pédagogues. »

➤ *L'enfant n'a-t-il que des droits ?*

La journée internationale des droits de l'enfant m'incite à lire de nombreux articles de journaux. Ils nous rappellent avec justesse l'urgente nécessité d'intervenir auprès des pays pour qui l'enfant n'est qu'un outil de travail ou un objet sexuel. Je consulte avec attention le résumé d'une émission de télévision sur la maltraitance infantile, tout y est : les abus, les violences, les aberrations que certains monstres parentaux font subir aux plus démunis. Et puis cette affaire de pédophilie, une de plus, initiée par les parents eux-mêmes...

Tout cela est juste, je me range bien évidemment aux côtés de ceux qui luttent pour éradiquer la violence adulte envers les enfants, qu'elle soit parentale ou non. Mais le risque est tentant de faire l'amalgame entre les victimes réelles de tortionnaires pathologiques et cette philosophie ambiante tout empreinte de permissivité : les droits de l'enfant avant tout. Oui, lorsqu'il faut le défendre de la jungle adulte, non lorsqu'il est lui-même dominateur, manipulateur, négateur d'autrui. « Les droits de l'enfant s'égrènent d'ailleurs eux-mêmes en un long chapelet. De devoirs, il n'est point question, si bien qu'on a le sentiment que les parents ne figurent ici qu'à titre d'accusé, tandis que le concept d'enfant n'est pas suffisamment défini. » Encore Louis Roussel[5].

Bien sûr, j'entends déjà les interprétations les plus courantes, « les enfants ne sont pas responsables, ils ne font du mal que s'ils ont été eux-mêmes victimes, on ne naît pas dictateur ». Là est la plus grande confusion et je le souligne : dans ce livre, je ne parle pas des enfants pathologiques qui présentent des troubles du comportement et de la personnalité sévères et quasiment inaccessibles à la dimension éducative ; des pathologies qui peuvent donner raison à l'hypothèse de la carence affective génératrice d'agressivité et de toute-puissance chez l'enfant. (Il resterait tout de même à prouver la pertinence de cette équation, ma pratique professionnelle me prouve souvent cette résilience évoquée par Boris Cyrulnik[6] : certains patients traumatisés ont su dépasser leur malheur pour retrouver seuls une joie de vivre quasi indestructible.) Les problèmes que je relate sont certes importants dans leur démesure mais ne témoignent jamais d'un quelconque déficit affectif majeur et se révèlent très sensibles à l'action éducative quotidienne parce que modifiables et non rigides.

➤ *Et encore l'éducation !*

« Qu'est donc devenue l'éducation dans le modèle familial qui s'est diffusé depuis vingt ans, et celui-ci peut-il expliquer

---

5. *Ibid.*
6. Boris Cyrulnik, *Un Merveilleux Malheur*, Paris, Odile Jacob, 1999 ; *Les Vilains Petits Canards*, Paris, Odile Jacob, 2001.

le désarroi des enfants, la violence qui les menace, les habite et les rend soudain imprévisibles ? » Cette question, Louis Roussel[7], conseiller scientifique à l'Institut national d'études démographiques, se la pose aussi. Il a compris que la nécessaire protection de l'enfant devenue droit sans devoirs peut être une arme à double tranchant et, à mon avis, une des pierres angulaires de l'omnipotence infantile.

« Bien plus, dans l'esprit de certains enfants, les droits qui leur sont reconnus sont perçus comme une protection contre leurs parents, ou comme la légitimation d'un droit que ceux-ci doivent reconnaître pour être de bons parents. » Ce droit des enfants est le plus souvent renforcé par les hypothèses du développement psychoaffectif de l'enfant : là encore le devoir parental domine, mais d'obligation infantile, point.

La tyrannie n'est-elle pas une étape normale de son développement affectif ?

➤ *« Je l'ai souvent lu ! »*

Je tente de convaincre la maman d'Adèle qu'il nous faudra travailler ensemble l'aspect éducatif pour que sa fille de 13 ans se remotive à l'école et cesse d'imposer sa loi à la maison.

Le thérapeute. – Adèle vous aide-t-elle au quotidien ? Sa chambre, le ménage, les repas, le linge ?...

La mère. – C'est dur d'obtenir quelque chose de sa part... mais, je vous l'ai dit, tout cela cache du plus profond...

---

7. *Op. cit.*

Le thérapeute (sans doute trop superficiel !). – Plus profond ?

La mère (sur un ton très empathique, presque psy). – C'est notre relation qui est en cause, son comportement, c'est un signe, elle veut me dire quelque chose, je l'ai souvent lu...

Pourquoi pas ? Mais avant d'échafauder des hypothèses trop psychologiques, il est souvent préférable de rester sur l'approche éducative, d'observer la réalité des comportements omnipotents, les tentatives de réponse au quotidien, ce qui marche ou non avec l'autorité parentale, le partage, la communication.

Ce n'est pas toujours facile de garder cette question en termes d'hypothèse de travail, ni plus ni moins, surtout lorsqu'un parent « fait un travail sur lui ».

Le thérapeute, au père de Lydie, 16 ans, élève qui redouble sa seconde et qui n'en fait qu'à sa tête (de minilarcins à la maison, des sorties sans autorisation, des fréquentations difficiles). – Vous êtes seul pour l'élever ?

Le père. – Oui, depuis le divorce, Adèle avait 5 ans, vous avez raison, tout a commencé là !

Le thérapeute. – Peut-être pas ! Comment était Adèle avant le divorce ?

Le père (complice, au bord du clin d'œil). – J'ai fait un travail sur moi, notre relation s'est aggravée non seulement après le divorce mais, surtout, je l'avais giflée quand elle n'avait que 3 ans... mais j'ai travaillé sur moi !

Adèle sourit...

Combien de fois les parents s'engouffrent dans des hypothèses analytiques pour saisir le « pourquoi » d'un dysfonctionnement qui sollicite surtout les « comment », « quand », « où » et « que peut-on faire » ?

➤ *L'enfant tyran vit-il une crise d'opposition salutaire ?*

Lorsque je parle des conflits avec l'enfant tyran, j'évoque tout un ensemble d'attitudes inappropriées. Je ne pense aucunement à un incident ponctuel, épisodique. Ce qui est singulier, c'est justement la répétition des passages à l'acte quel que soit le milieu, familial ou plus largement environnemental, et quels que soient le stimulus ou la situation déclenchante, que celle-ci soit importante ou non. Les comportements offensifs se vivent le plus souvent dans des contextes tout à fait différents et surtout à l'occasion d'une multitude d'exigences jamais respectées au quotidien. Cela ne saurait être une éventuelle phase d'opposition provisoire.

Cette confusion entre crise d'opposition et prise du pouvoir de l'enfant dans le monde adulte se traduit le plus souvent par cette croyance : il est salutaire pour l'enfant de pouvoir s'opposer verbalement. Le petit homme peut certes se construire en imposant certaines vues au monde adulte, en contestant ou tout au moins en questionnant ce qui lui est proposé. La personnalité peut s'inscrire dans la différence. Mais là où je ne suis plus d'accord, c'est lorsqu'il s'agit de réactions négatives systématiques. Dans ce cas, l'enjeu n'est plus d'exister ou de s'affirmer devant la réalité des autres mais bien de les maîtriser et de les réguler pour ses propres bénéfices et ce, bien sûr, au détriment d'autrui.

> L'opposition, c'est se confronter à l'autre.
> Le conflit systématique, c'est vouloir annuler l'autre.

➤ *L'enfant tyran souffre-t-il d'un manque de dialogue avec ses parents ?*

Une autre hypothèse tend à faire croire que tout comportement d'opposition est le plus souvent lié à un déficit de communication entre les parents et l'enfant. J'assiste le plus souvent non pas à un manque dans le relationnel parents-enfant mais au contraire à une verbalisation outrancière, à un flot de paroles dès la moindre anicroche : tous les faits et gestes sont aussitôt commentés, les discussions sont longues pour obtenir qu'il fasse ou qu'il obéisse, le verbe domine, il n'y a jamais de conséquences devant les actes inadéquats. La communication n'est pas rompue, elle est excessive, comme s'il fallait éviter à tout prix le conflit.

Ce n'est pas le dialogue parent-enfant qui est en jeu mais la qualité des échanges. Les discussions prennent souvent la forme de longs palabres qui, au lieu d'affirmer l'autorité parentale, se perdent en arguties, interprétations et simple écoute de véritables plaidoiries infantiles. Et l'objectif de ces rencontres passe du « J'écoute et je respecte le point de vue de l'autre » à un « D'abord écoutez-moi ! » de l'enfant. *A contrario*, les parents tentent surtout de collaborer avec l'enfant tyran, ne cherchent surtout pas à imposer quoi que ce soit mais à négocier à tout prix à l'avantage du présumé plus faible. Notre enfant tyran sort toujours gagnant de ces sempiternelles joutes oratoires, il sait manier le verbe et l'adulte et il obtient toujours plus que ce qui était exigé au départ à ses dépens !

Très souvent aussi, les phases d'opposition sont explicitées par le déficit du milieu extérieur : l'enfant est victime de l'environnement. Ainsi, il est parfois souligné que certains enfants ne cessent de désobéir parce qu'ils n'ont pas compris la consigne parentale. Allez faire croire aux parents de ce genre d'enfants que leurs instructions éducatives ne sont pas claires !

Bien au contraire, ils nous le disent et nous les croyons, ils répètent, ils explicitent, ils argumentent, ils redisent inlassablement ce qu'ils attendent quotidiennement de leur enfant.

> L'enfant tyran est un professionnel de la communication ! Il sort toujours vainqueur des joutes oratoires qui renforcent son omnipotence.

➤ *L'opposition : une étape incontournable du développement ?*

L'opposition est-elle un passage obligé dans le développement psychoaffectif de notre enfant ? C'est bien connu, pour exister, il faut « tuer le père », mais de là à tuer toute la famille, est-ce bien raisonnable ! Souvent, les professionnels ont constaté que les grandes phases d'opposition de l'enfant intervenaient dans les changements de rythme de leur développement. L'entrée à l'école maternelle ou en classe primaire, l'entrée en sixième sont des périodes lourdes pour l'enfant qui franchit parfois des marches trop hautes sans pour autant y être préparé. Mais est-ce que ce sont forcément les contextes de changement qui provoquent les crises d'opposition ? Ne serait-ce pas plutôt l'intolérance aux frustrations de certains enfants qui, dès qu'ils ne sont plus rois et dès qu'ils ne maîtrisent plus l'environnement, nient la réalité, nient les autres ? Pour certains, ce n'est pas la situation elle-même qui est frustrante mais la perte des privilèges. Ils paraissent pour un instant abattus, vaincus, voire déprimés mais bien vite l'offensive reprend pour gagner de nouveau sur le monde.

S'il n'y a pas crise d'opposition, il s'agit peut-être d'un trouble de la personnalité autrement plus grave ?

Crise d'opposition ou omnipotence ?

Crise d'opposition	Omnipotence
Elle est passagère.	Elle s'inscrit dans la durée.
Elle peut suivre un événement marquant.	Elle ne traduit jamais un contexte spécifique sauf qu'il est frustrant !
Elle retombe vite.	Elle s'amplifie avec le temps.
Elle n'est pas disproportionnée.	Elle est excessive.
L'autorité parentale existe.	Il n'y a plus d'autorité parentale.
L'enfant n'a pas de comportements coercitifs.	Les comportements sont coercitifs.
Le manque de dialogue peut exister.	Le dialogue existe avec l'adulte.
Elle signe une carence, un manque, une souffrance.	Elle n'a pas de signification particulière.

➤ *La tyrannie n'est-elle pas « pathologique » ?*

Récemment, le thème de l'enfant tyran est apparu dans les congrès médicaux comme les fameux « Entretiens de Bichat ». Les médecins sont en effet de plus en plus témoins de scènes familiales pénibles, de comportements infantiles outranciers, voire tyranniques.

Certains comptes rendus de la presse signent cette nouvelle préoccupation : « Les jeunes tyrans en question », « Comment rééduquer les bourreaux domestiques ? » Et ces articles de journaux de rapporter des faits qui dévoilent une réelle maltraitance des parents : le quotidien *Libération* évoque tel adolescent délinquant qui violente père et mère, tel autre qui rackette ses aïeux. « L'enfant peut faire régner une extrême violence psychologique, avec des exigences permanentes, du mépris pour ses parents qui ne réagissent pas, une agression envers les biens personnels de la famille ou les animaux domestiques...[8] » D'autres utilisent leur « maladie » pour diriger d'une main de fer tout le quotidien familial. Une anorexie mentale, un trouble obsessionnel compulsif sont l'occasion pour l'enfant de « donner des ordres, de parler avec mépris, d'exiger pour les repas, les achats... ». Et le docteur Marie-France Le Heuzey, pédopsychiatre à l'hôpital Robert-Debré de Paris, de conclure : « Les parents sont trop laxistes, très protecteurs et culpabilisés, ils approuvent même les remontrances de leur tyran. » Elle poursuit : « Ce type de tyrannie, fait de violence physique et verbale, témoigne d'une mauvaise adaptation du système familial à des troubles psychopathologiques présents chez l'enfant ou l'adolescent. »

L'omnipotence pourrait précéder la pathologie.

Concernant l'enfant tyran, nous n'en sommes pas encore là dans la gravité des symptômes mais j'ai souvent vu une radicale aggravation de l'omnipotence infantile lorsque cette prise de pouvoir n'a pas été jugulée plus tôt. Dans leur délire de toute-puissance, certains enfants franchissent le cap et déclarent de véritables pathologies, de la délinquance, ou violence à autrui, à la dépression ou violence à soi-même. La pathologie peut conduire à la tyrannie infantile mais le contraire est aussi vrai : la tyrannie infantile peut conduire à la pathologie. Nous avons le sentiment que la symptomatologie de l'enfant tyran précède les autres, semble s'inscrire en amont et se révèle le véritable tremplin de futurs dysfonctionnements plus lourds. Citons

8. *Libération*, octobre 2001.

Jean Dumas[9], psychologue suisse, spécialiste des enfants violents, qui lui aussi insiste sur cette possibilité d'aggravation des comportements quand l'omnipotence infantile n'est pas stoppée : « Les difficultés de l'enfant évoluent de manière complexe et, à travers le temps, tracent une trajectoire développementale de nature pathologique dans laquelle le trouble oppositionnel annonce le trouble des conduites et la violence devient souvent le comportement le plus préoccupant. » S'il ne faut pas confondre l'omnipotence infantile avec une banale crise d'opposition, il n'est pas possible de l'inclure dans des pathologies clairement diagnostiquées.

Reprenons la dixième édition de la CIM 10 (*Classification internationale des troubles mentaux et du comportement de l'OMS*). Il est vrai que les caractéristiques des « troubles du comportement » sont le plus souvent communes à nos enfants tyrans mais ces derniers ne présentent jamais des troubles de la conduite aussi pathologiques qu'ils sont décrits dans la CIM.

➤ *L'enfant devient tyran parce que ses parents sont immatures ?*

Dans son livre, Gisèle Harrus-Révidi[10], psychanalyste, émet cette hypothèse : « Dans les pays occidentaux, que deviennent les enfants de ces parents immatures fabriqués à la chaîne actuellement ?... Face à cela, dans le meilleur des cas, l'enfant mûrit trop vite, il est déjà grand tout petit, il n'aura ni enfance ni adolescence, courant sans cesse afin de précéder l'événement dans un souci inconscient de "parentification", ce néologisme désignant pour les systémiciens la

9. Jean Dumas, *L'Enfant violent*, Paris Bayard, 2000.
10. *Parents immatures et enfants adultes*, Paris, Payot, 2001.

Problème de comportement ou personnalité pathologique ?

Troubles du comportement de l'enfant tyran	Troubles des conduites (qui peuvent traduire un trouble de la personnalité) selon les classifications psychiatriques
L'enfant A des accès de colère anormalement fréquents et violents, compte tenu du niveau de développement. Discute souvent de ce que lui disent les adultes. S'oppose activement aux demandes des adultes ou désobéit. Fait souvent, apparemment de façon délibérée, des choses qui contrarient les autres. Accuse souvent autrui d'être responsable de ses fautes ou de sa mauvaise conduite. Est souvent susceptible ou contrarié par les autres. Est souvent fâché ou rancunier. Est souvent méchant ou vindicatif. Ment souvent ou ne tient pas ses promesses, pour obtenir des objets ou des faveurs ou pour éviter des obligations. Provoque souvent les conflits physiques.	**L'enfant** A utilisé une chose qui peut blesser autrui. Reste souvent dehors après la tombée du jour malgré l'interdiction des parents. A été physiquement cruel envers des personnes. A été physiquement cruel envers des animaux. A délibérément détruit les biens d'autrui. A délibérément mis le feu pouvant provoquer ou pour provoquer des dégâts importants. Vole des objets d'une certaine valeur à la maison ou ailleurs. Fait souvent l'école buissonnière, dès l'âge de 13 ans ou avant. A fugué au moins à deux reprises ou au moins une fois sans retour le lendemain, alors qu'il vivait avec ses parents ou dans un placement familial. A commis des délits en affrontant la victime (extorsion d'argent, vol avec effraction). Est l'auteur de délits sexuels.

nécessité de devenir le bon parent de son parent. » L'auteur décrit aussi ces parents qui « nourrissent leurs enfants, les lavent, les soignent, les envoient à l'école sans leur prodiguer ni affection ni capacité de penser… » Il existe, c'est incontestable, des « jeunes fruits prématurément mûris » qui doivent très vite quitter l'enfance pour pallier les carences parentales. Nous connaissons aussi ces enfants délaissés affectivement qui n'ont que le « matériel » pour vivre. Mais est-ce bien la problématique de l'enfant tyran ?

Son immaturité répond-elle à celle de ses parents ? Oui, lorsqu'il s'agit d'enfants qui vivent dans des milieux familiaux incohérents, déstructurés, pathologiques. Ses troubles du comportement sont-ils le signe d'une profonde carence affective ? Oui, lorsqu'ils traduisent par l'omnipotence la quête de reconnaissance, la construction d'une estime de soi le plus souvent malmenée. Non, quand ils vivent dans des contextes où les parents sont non seulement présents mais affectueux, stables, matures et ne signent aucun trouble particulier si ce n'est ce non-savoir éducatif que nous avons déjà évoqué.

Est-ce biologique ?

Il serait bien prétentieux de remettre en cause les considérables apports de la biologie, des neurosciences, de la psychologie évolutionniste. Leurs futures découvertes risquent bien de heurter nos connaissances actuelles sur l'homme. Mais s'il semble indéniable que l'enfant naît avec un certain acquis biologique ou tempérament, offensif ou non, il paraît encore opportun de croire à son incontournable interaction avec les facteurs environnementaux, qu'ils soient sociologiques, culturels, historiques et bien sûr familiaux. Ainsi et une fois de plus, la pensée de Rousseau s'affirme des plus moderne :

« Mais sitôt qu'ils (les enfants) peuvent considérer les gens qui les environnent comme des instruments qu'il dépend d'eux de faire agir, ils s'en servent pour suivre leur penchant et suppléer à leur propre faiblesse. Voilà comment ils deviennent incommodes, tyrans, impérieux, méchants, indomptables ; progrès qui ne vient pas d'un esprit naturel de domination, mais qui le leur donne[11]... »

Mais n'oublions pas Darwin !

« À deux ans et trois mois, il devint grand adepte du lancer de bâton, etc., en direction de quiconque lui avait déplu ; certains de mes autres fils ont eu le même comportement. En revanche, je n'ai jamais constaté la moindre trace d'une telle aptitude au même âge chez mes filles, ce qui me porte à penser que, chez les garçons, la tendance à lancer des objets est héritée[12]. » Nous avons heureusement remarqué que l'enfant tyran n'avait pas de sexe particulier, les petites reines valent bien les tyranneaux.

➤ *L'enfant tyran et la carence éducative*

Christiane Olivier, dès l'introduction de son ouvrage, a parfaitement compris l'origine de l'omnipotence infantile : l'éducation. « Les enfants d'aujourd'hui ont un Moi faible faute d'être éduqués, et donc un Ça qui prend de plus en plus de place, et qu'il faut alimenter sans cesse par de la nourriture, de la boisson, des biens de consommation, sous peine de voir les adolescents devenir violents et injustes : on tue pour un blouson, on blesse pour une auto, on étrangle pour un sac à main[13]. »

11. *Émile ou De l'éducation, op. cit.*, p. 78.
12. Charles Darwin, *Esquisse biographique d'un petit enfant.*
13. *L'Ogre intérieur*, Paris, Fayard, 1999.

Mais pourquoi abandonner cette hypothèse dès les premiers chapitres ? Comme si parler d'éducation semblait quelque peu réducteur ! L'auteur cherchera dans ses propos à reprendre l'hypothèse de troubles du comportement liés à « une défense inconsciente globale face à une situation de menace physique ou psychique ». Nous repartons dans la signification inconsciente des passages à l'acte qui, si elle ne doit pas être écartée pour des pathologies lourdes, ne reflète guère les attitudes de l'enfant tyran qui sont, le plus souvent, l'expression consciente de refuser toute frustration à son principe de plaisir et non sa volonté de combler une frustration purement affective ou d'éviter un contexte physiquement dangereux. Pourquoi cet amalgame entre refoulement et carence éducative ?

Restons optimistes !

Dès lors, si l'hypothèse de l'influence primordiale du sociologique sur l'individuel ne peut être écartée, elle ne doit pas nous donner l'excuse de ne rien tenter devant l'omnipotence de l'enfant tyran. L'influence de la société de consommation et de ses valeurs individualistes ne peut qu'inciter les parents à plus de médiation pour que l'enfant retrouve une estime de soi et confronte son délire de soi. La banalisation des séparations, la famille éclatée n'aident pas mais n'expliquent pas tout. Faisons attention aux amalgames. La synthèse d'une enquête récente conclut à une forte corrélation entre l'échec scolaire des enfants et le divorce des parents. Cette conclusion réductrice participe, à mon avis, à la déresponsabilisation des enfants et à l'oubli de la dimension éducative, nouvelle interprétation royale pour les enfants tyrans.

L'enfant tyran, une victime sociopsychologique ?

Est-il victime de la société de consommation ?	Tous les petits nantis ne sont pas omnipotents !
Est-il le fruit de l'éclatement familial ?	Les enfants du divorce ne sont pas tous rois !
Souffre-t-il de l'absence parentale ?	Beaucoup d'enfants sans problème voient peu leurs parents !
Subit-il une école inadaptée ?	Tous les élèves ne sont pas en échec ou « non performants » !
Manque-t-il d'estime de soi ?	Il est surtout égocentrique : moi, moi, moi !
N'est-il qu'un simple opposant ?	Il est en conflit permanent !
Est-ce le signe d'une maturation ?	L'omnipotence empire avec le temps !
Est-il déficitaire ?	Il est souvent très intelligent !
Est-il carencé ?	Son appétit affectif est sans limites !
Est-il abusé ?	Ce sont les parents qui souffrent le plus !
Est-il déprimé ?	La déprime suit la frustration, elle n'est guère existentielle !
Est-il fou ?	L'autorité vraie stoppe vite ses comportements !

De même, s'il est utile de reprendre certaines hypothèses psychologiques pour comprendre l'impact de l'affectif sur le parcours de l'enfant tyran, il nous faut surtout retrouver des pistes de travail hors d'un déterminisme qui parfois nous arrange bien. La réalité de l'enfant tyran ne traduit ni opposition classique ni carence, mais une domination constante de l'adulte avec une sorte de trop-plein affectif. Que l'influence sociologique ou psychologique s'exerce, il nous faut éviter de tomber dans cette conclusion de Gabriel Cohn-Bendit : « Quand les parents demandaient à Freud : "Mais que faut-il faire pour bien élever nos enfants ?", il répondait : "Faites ce que vous pouvez, de toute façon vous ferez mal !" » L'éducation est possible.

Il existe bel et bien une influence sociologique dans nos milieux dits favorisés (occidentaux ou non) mais, nous l'avons souligné, les enfants de ces environnements-là ne sont pas tous omnipotents ou tyranniques. Il peut y avoir des causes psychologiques « profondes », des carences infantiles refoulées mais, dans le concret, les hypothèses analytiques classiques ne sont pas corroborées pour des comportements qui n'ont rien à voir avec des pathologies lourdes.

S'attarder sur l'hypothèse éducative est une priorité : que s'est-il passé au cours du développement psychoaffectif et social de notre enfant ? Il nous faut désormais reprendre les principaux stades de développement de l'enfant pour mieux cerner l'apparition des dysfonctionnements et proposer les premières réponses éducatives et donc préventives. Nous entrons de plain-pied dans ce que nous appelons la psychologie de l'éducation.

DEUXIÈME PARTIE

Comment l'enfant devient un tyran : radiographie d'une escalade

CHAPITRE 5

Premier stade (0 à 3 ans) : sa Majesté des couches

> « Avec l'amour maternel, la vie vous fait une promesse qu'elle ne tient jamais. »
>
> Romain GARY, *La Promesse de l'aube*.

« Il faut très exactement faire tout ce que l'on entreprend avec l'enfant suivant les règles du bon ordre. La boisson et la nourriture, l'habillement et le sommeil, toute la petite existence quotidienne de l'enfant doit être bien ordonnée et ne jamais être modifiée en rien par son caprice ni par ses humeurs, pour qu'il apprenne dès la première enfance à se soumettre rigoureusement aux règles du bon ordre[1]. » L'éducation s'est effectivement révélée comme le moyen idéal pour briser des individualités, faire rentrer dans le rang toute singularité. Je ne pense bien évidemment pas l'éducation en ces termes ; intégrer la frustration au quotidien n'a pour unique objectif que de développer le jugement moral de l'enfant au sens piagétien, pour qu'il intègre peu à peu le lien soi-autrui, le principe de réalité. Cette acceptation du réel ne doit en aucune façon céder à la

---

1. J. Sulzer, pasteur de la fin du XIXe siècle, cité par A. Miller dans *C'est pour ton bien*, Paris, Aubier, 1984.

tentation d'annuler l'individu dans son originalité, son ressenti, son être. Il s'agit bien d'un équilibre et non d'un quelconque abandon de soi au profit de l'autre.

L'éducation du tout-petit : comment éviter qu'il ne devienne un bébé tyran ?

Il est vrai que, dans le passé, l'obéissance du tout-petit n'était voulue que pour respecter le « bon ordre » des choses, obéir au parent signifiait apprendre à obéir tout court. Ne faisons pas l'amalgame avec nos enfants contemporains qui ne manquent ni de personnalité, ni d'intelligence, ni d'estime de soi, ni de confiance en eux et qui savent que désobéir c'est imposer leur bon vouloir. Une fois de plus, il est bon d'affirmer que l'enfant tyran n'est pas la victime mais qu'il est bien souvent le maître de la famille, celui à qui l'on obéit. Voyons comment cette prise de pouvoir s'est inscrite très tôt dans la vie de tous les jours et comment le tout jeune enfant peut se comporter peu à peu en véritable tyran, lui, petit être si fragile. Nous constaterons au contraire dans les exemples qui suivent à quel point la permissivité parentale peut exacerber chez l'enfant, qui n'est pas éduqué ou stoppé dans ses débordements, des comportements tyranniques. Il semble important de ne pas prendre à la légère cette hypothèse développementale d'une escalade des comportements omnipotents s'ils ne sont pas régulés.

➤ *L'escalade de la tyrannie infantile au quotidien*

Non seulement chaque stade, du bébé à la petite enfance et à l'adolescence, témoigne de l'aggravation de la tyrannie au fil des ans si rien n'est fait, mais chaque stade lui-même révèle que l'enfant peut allègrement passer de « gâté » à « enfant tyran » pour s'imposer en bon petit « tyran ». Cette évolution vers les comportements tyranniques répond, me semble-t-il à ce principe d'escalade que j'ai déjà défini. Ces attitudes négatives ou dysfonctionnements qui impliquent et font souffrir autrui, et surtout les parents qui sont en première ligne, interviennent au quotidien du tout-petit, et ce de façon quasiment chronologique. Je ne saurais être exhaustif tant l'enfant tyran, et c'est un de ses stratagèmes pour dominer l'adulte, nous noie à chaque instant par ses demandes, ses exigences, ses pleurs ou ses colères. Je prends ci-dessous les attitudes les plus typiques d'un petit homme qui domine progressivement son monde.

Il dort quand il veut

➤ *« Nous la prenions souvent dans notre lit ! »*

Marie « faisait ses nuits » ; le réflexe parental de la prendre ne correspondait pas à une période que beaucoup connaissent : le sommeil du bébé n'est pas régulier, la présence dans la chambre parentale est une étape pour lui apprendre ensuite à dormir seul.

« Marie nous voulait, elle hurlait dès qu'on la remettait dans le berceau, c'était souvent après le tour sur le périphérique. Cela a été très dur qu'elle accepte sa chambre, cela n'a marché que lorsque l'on a commencé à lui lire des histoires pour s'endormir. Mais tous les prétextes étaient bons pour nous rappeler et nous cédions, nous voulions dormir. Cela a duré jusqu'à l'âge de la marche et même plus tard… la lumière dans la chambre, les comptines enregistrées, rien n'y faisait et puis elle pleurait tellement ! »

Le thérapeute. – Vous pensiez quoi quand elle pleurait ?

La mère. – Qu'elle n'était pas bien, que je devais l'aider pour la nuit… je savais aussi que j'allais créer une habitude. J'avais lu tant de choses contradictoires là-dessus !

Comme ce que je lisais récemment dans un ouvrage spécialisé : « Contrairement à ce qui a été dit, répondre à son bébé ne le rend pas capricieux. Au contraire, en le rassurant sur ce monde qui l'accueille, cela lui donne confiance en lui et le rend plus autonome[2]. » Et l'auteur de poursuivre à juste titre : « Prendre son bébé contre soi au moindre cri, passé les six premiers mois de la vie, finirait par devenir une habitude dont l'enfant aurait du mal à se passer. » Certes, mais selon l'humeur, le ressenti du parent, cela sera : « Je prends bébé ou pas, je lui donne de l'amour ou le frustre. » Ce n'est pas l'un ou l'autre. Si vous avez vérifié que les besoins élémentaires de bébé sont satisfaits (faim, sommeil, hygiène, stimulations, jeux, câlins, affection), vous pouvez, après avoir constaté qu'il ne s'agit pas d'un nouveau besoin légitime (fièvre, peur, bruit, etc.) le frustrer quelque peu, le laisser pleurer quelque temps et tout s'atténuera bien vite.

➤ *La frustration n'est pas forcément souffrance*

À la demande sans limites de l'enfant, vous répondez par un « tout n'est pas possible » des plus sécurisant pour le présent et pour l'avenir. L'objectif n'est pas de le frustrer pour lui faire mal mais de différer sa demande immédiate pour éviter qu'il souffre encore plus fort dans un second temps. Les pleurs ne signifient pas forcément souffrance ! Dans son livre, au chapitre « Bébé pleure, que faire ? », Anne

2. A. Baccus, *Question au psy*, Paris, Marabout 2001.

Baccus s'ingénie à proposer aux parents des attitudes qui ne vont que renforcer ces fameux pleurs : « Vous avez "tout" essayé mais il continue à pleurer, voici quelques trucs de mamans : emmenez-le faire un tour en voiture, tapotez doucement les fesses en rythme, passez-lui du Chopin, installez un aquarium dans sa chambre de telle façon qu'il puisse, de son lit, suivre les évolutions des poissons[3]. » Le tout-petit qui vit sur un modèle très « stimulus-réponse » apprend bien vite que ses pleurs, ses demandes vont obtenir du plaisir en plus, pourquoi devrait-il les stopper ?

➤ *Le périphérique somnifère*

La maman de Marie a sans doute appliqué ces conseils.

« Tous les soirs c'était pareil peu après le biberon de neuf heures. Elle redevenait très tonique, nous réclamait, voulait jouer, rien ne la calmait… finalement, nous avions trouvé un truc : une promenade en voiture sur le périphérique et elle s'endormait gentiment… »

Sans doute, ces parents auraient pu aller jusqu'au bord de mer, nous n'en sommes pas si loin, le bruit des vagues calme, à marée basse. Après les tours de périphérique, il fallait de toute façon rentrer et « refaire le coucher ».

« Nous faisions tout pour qu'elle ne se réveille pas et puis patatras, dès le contact du berceau, les cris reprenaient de plus belle. » L'enfant n'avait que neuf mois. Sa mère me raconte cette petite enfance pas trop traumatisée, j'essaie en bon psychologue de comprendre l'évolution de Marie, maintenant 17 ans, qui vient consulter pour une « dépression » mais manifeste beaucoup des symptômes précédemment décrits : elle refuse le scolaire,

---

3. *Ibid.*

veut écourter son année du bac pour faire une formation, a déjà une voiture aux frais des parents, veut passer toutes ses nuits avec son « amoureux », en conflit permanent avec le père qui tente un semblant d'autorité car, comme il le souligne : « Ce n'est pas normal de ne pouvoir lui parler qu'en début de mois pour faire les comptes des dépenses pour la voiture et le reste ! »

➤ *L'histoire sans fin*

Le père de Marie évoque lui aussi la petite enfance de sa fille.

« Je pensais que lui raconter des histoires au lit la calmerait. Cela marchait pendant la lecture de deux ou trois pages mais je ne pouvais pas m'arrêter. Elle m'écoutait toujours attentivement et guettait ma fatigue. Quand j'avais fini une courte histoire, elle se remettait à hurler "encore histoire papa !". Elle avait à peine un an et demi et mon rêve de raconter des histoires à mon enfant tournait au cauchemar. J'inventais de nouvelles aventures, je baissais la voix, rien n'y faisait. Finalement, on a décidé de mettre des cassettes audio mais il fallait souvent se relever pour les changer ou baisser progressivement le volume. Quand elle s'en apercevait, il n'y avait plus que la solution extrême : la reprendre dans notre lit. Bien vite, elle avait soif, faim, et cette demande incessante de câlins... ma femme et moi nous réveillions épuisés. Et puis on craquait, on s'énervait, on la ramenait dans sa chambre et elle hurlait de plus belle... »

➤ *Il est matinal !*

Marc, 2 ans et demi, fait office de réveil matin, il décide pour tous de l'heure du lever. Ce qui était bien normal beaucoup plus jeune, mais qui aurait pu être régulé selon le bon principe « tu as faim mais nous existons aussi… », devient un acquis : je dois manger dès que j'ai faim, les parents doivent donc se lever pour apaiser mes pseudo-crampes d'estomac. Marc a bien entendu grignoté des tas de choses tard dans la nuit puisque c'était pour « mieux l'endormir ». Les petits bruits qu'il a faits sont sans effet, il se met donc à pleurer pour stimuler les cuisiniers. Le parent ne sera désormais accepté que s'il vient avec son offrande, pas de bonjour ou câlin gratuitement, tout se paie.

Il est momentanément rassasié. Il trône parmi ses jouets, regarde furtivement tel ou tel objet, semble désintéressé et finit par appeler maman. « Les jouets ne l'intéressent pas beaucoup, il cherche la relation avant tout… »

Il mange ce qu'il veut quand il veut

➤ *Les repas : une autre bataille*

Comme ce terrible « Soupalognon y crouton », petit garnement ibère que doivent protéger Astérix et Obélix[4].

Soupalognon. – Je n'en veux pas de cette cochonnerie ! »

Obélix. – Le sanglier une cochonnerie ?

Astérix. – De toute façon, il n'y a pas autre chose !

Soupalognon. – Eh bien, je retiendrai ma respiration jusqu'à ce qu'il y en ait ! (ce qu'il fait…)

Astérix. – Marcassin, ? Laie ? Jambon ? Boudin ? Hure ? Poisson ?

Soupalognon. – Du poisson, je veux bien.

Astérix. – Obélix, va acheter du poisson !

---

4. Uderzo, Goscinny, *Astérix en Hispanie*, Neuilly, Dargaud, 1969.

Si, tout petit, il se délecte naturellement des aliments liquides et autres petits pots, l'enfant tyran, dès que le « solide » entre en jeu, va rapidement refuser tout ce qui n'est pas mou, doux, voire sucré. Et la comédie commence, chaque parent use de la plus fine stratégie pour qu'il goûte au moins le produit nouveau mais finalement, et comme dans tous les domaines, ce sera le fameux « il est encore trop jeune pour tout goûter, je vais lui redonner ses petits pots ». L'enfant se calme bien sûr mais pour mieux rebondir ensuite si le petit pot du dessert n'est pas le préféré. Une nouvelle occasion d'imposer sa loi à un moment privilégié de partage, celui de la nourriture. Nous rentrons désormais dans le cycle infernal des « il ne veut rien manger » et des « faut bien céder, il deviendrait malade », voie royale pour transformer les futurs repas en simple « j'ai faim-je mange », le réfrigérateur n'attendant plus que l'appétit soit plus grand pour s'ouvrir totalement à lui.

➤ *La propreté quand il veut*

En sachant que l'acquisition de la propreté est conditionnée à une certaine maturité chez l'enfant et qu'elle intervient généralement entre 2 ou 3 ans, il nous faut être vigilants quand elle est non seulement très tardive mais cède la place à l'énurésie ou l'encoprésie. Là encore, sachons observer. Si ces « pipis au lit » ou « cacas culotte » surgissent spontanément, il est bon d'en rechercher le sens avec des spécialistes. Cela peut être une réaction à un événement de la vie mal vécu. En revanche, nous avons aussi connu ces enfants tyrans qui utilisaient la propreté pour non seulement s'opposer mais « enquiquiner » leurs parents pour ne pas dire autre chose. Le symptôme de l'encoprésie s'inscrivait bien dans une multitude de passages à l'acte quotidiens et l'enfant tyran ne voyait pas, à juste titre, pourquoi obéir à l'injonction d'être propre alors qu'il n'obéissait à rien du tout. Pourquoi se maîtriser pour aller aux toilettes quand tout le quotidien entretient son principe de plaisir ? Au « je fais ce que je veux », l'enfant tyran peut substituer un « je fais quand je veux » !

Récemment, une émission de télévision témoignait de ce passage radical des langes d'avant le XXe siècle, avec obligation dès sept mois d'aller sur le pot, quitte à l'y attacher, au très actuel : « Désormais, on attend que l'enfant demande à aller aux toilettes ! »

➤ *Le bon sens éducatif*

Le ton est un retour au bon sens, une réelle accommodation à l'enfant avec toujours ce respect d'autrui même si le « bon sens » fait toujours peur au spécialiste. « Car si le bon sens c'est bien, le bon soin c'est mieux », écrit Claire Fleury à propos de cette émission *Bébés : retour au bon sens.*

Je suis bien d'accord en tant que professionnel que le parent doit être vigilant quand l'enfant manifeste certains troubles, mais je reste persuadé que l'hypothèse psychologique en premier lieu chasse vite ce bon sens si utile pour gagner le combat qu'impose l'enfant tyran. L'escalade de ses comportements signe le plus souvent une carence éducative, une attente de l'interdit et non une quelconque carence affective.

L'enfant, roi de la consommation

La chambre de l'enfant tyran regorge des bonheurs voulus par Natalys ou Toys r'us, les meubles et divers objets sont tous « faits pour lui », les couleurs sont chatoyantes, tout est rond, doux, confortable. Les jouets, eux, s'accumulent, les peluches sur le Lego, le petit train en bois sur un lecteur de cassettes « bleu de nuit », les nombreux livres d'images chevauchent les marionnettes du guignol « qui doit lui faire retrouver la joie des enfants d'autrefois ». Devant ce trop-plein, l'enfant tyran ne peut que clamer l'injustice : « Je veux la peinture comme chez Mamy ! »

Vouloir constamment ce que l'on n'a pas, non par curiosité mais tout simplement pour éviter la « frustration » de jouer avec du déjà connu, avec peut-être le risque de l'ennui. Ne pas savoir quoi faire est inacceptable, il faut le stimuler constamment par du nouveau. Là où beaucoup de parents croient que proposer de nouvelles stimulations éveillent, enrichissent, je n'y vois bien souvent que l'augmentation d'un seuil de tolérance aux frustrations de plus en plus bas.

➤ *Soyons vigilants*

Cette escalade dans le plaisir est voulue. Parents, soyons vigilants lorsque nous cédons aux tentations des multinationales du jouet, du vêtement ou du meuble pour nos tout-petits. L'objectif prôné est bien sûr l'épanouissement, la stimulation, le confort des petits, il stimule en fait l'éparpillement de leurs centres d'intérêt, crée l'instabilité et renforce l'intolérance aux frustrations puisque tout ce qui n'est pas nouveau est frustrant.

Et puis l'ennui semble interdit ! Au lieu de rêvasser en écoutant pour la énième fois telle chanson ou en regardant vaguement le même livre illustré, l'enfant se voit accroché au réel par du toujours neuf et confond bien vite plaisir et immédiateté du nouveau, satisfaction et changement. La rêverie, l'ennui, l'attente, le farniente seront bannis parce que tout cela n'apporte « rien ». Le petit homme apprend à ses dépens qu'il est bien difficile d'avoir et d'être, la consommation va lui devenir existentielle. Vivement Noël car l'enfant tyran encore très jeune, je l'ai souvent observé, ne croit plus au Père Noël. Il sait très tôt qu'il aura ce qu'il désire auprès de ses parents-Noël, pas besoin de croire aux chimères des enfants frustrés !

➤ *L'enfer des courses*

Notre enfant tyran a choisi son lieu de prédilection. Il est toujours volontaire, dès son plus jeune âge, pour accompagner le parent dans ces temples de la consommation. Nous les rencontrons d'ailleurs le plus souvent dans ces *malls* ou hypermarchés à l'américaine. C'est là qu'il se déchaîne, hurle, provoque toujours les mêmes réponses : de la réprimande parentale disproportionnée avec menace de rejet vers le premier vigile venu, à l'acceptation passive d'achats futiles « pour avoir la paix… ne pas faire la guerre dès le samedi » ! Mais selon notre principe de l'escalade, cette fausse paix du parent qui cède engendre rapidement d'autres demandes qui, si elles sont refusées, génèrent d'autres pleurs et d'autres réponses inappropriées : un gâteau pour apaiser, une boisson pour tempérer. Mieux l'armer, lui redonner des forces pour le prochain combat : le retour à la maison.

L'enfant tyran comédien

Certains auteurs l'ont compris, il y a matière pour le théâtre tant l'enfant tyran sait dramatiser le quotidien.

Henri. – Il veut un gâteau.
Sonia. – Il vient de se laver les dents.
Henri. – Il réclame un gâteau.
Sonia. – Il sait très bien qu'il n'y a pas de gâteau au lit… (Elle sort. Un temps. L'enfant pleure. Elle revient.)

Henri. – Qu'est-ce qu'il a ?

Sonia. – Il veut un gâteau.

Henri. – Pourquoi il pleure ?

Sonia. – Parce que j'ai dit non. Il devient atrocement capricieux.

Henri (après un léger temps). – Donne-lui un quartier de pomme…

Henri. – Je la pèle ?

Sonia. – Oui.

(Il sort. Un temps. Il revient.)

Henri. – Il veut que tu lui fasses un câlin.

Sonia. – J'ai déjà fait un câlin.

Henri. – Retourne lui faire un petit câlin.

Sonia. – On va retourner combien de fois dans sa chambre ?

Henri. – Un petit câlin. Je l'ai calmé, il va dormir.

(Elle sort. Un temps. L'enfant pleure. Elle revient.)

Henri. – Qu'est-ce qu'il a encore ?

Sonia. – Il veut la pomme en entier…

(On entend brutalement une chanson — volume maximum — en provenance de la chambre d'enfant.)

Henri. – Qu'est-ce que c'est ?

Sonia. – Rox et Rouky. *Tu lui as mis* Rox et Rouky.

Inès. – Vous lui avez mis la télé ?

Henri. – Pas la télé, une minicassette, il a le droit d'écouter une minicassette le soir dans son lit[5]*…*

Mais pourquoi nous, les parents, cédons si facilement à ce que beaucoup appellent des caprices ? L'enfant tyran ne fait pas que demander, il sait contraindre, j'ai déjà parlé du

5. Yasmina Reza, *Trois Versions de la vie,* Paris, Albin Michel, 2001.

« comportement coercitif ». Et à cet effet, il utilise les pleurs pour nous attendrir, mais surtout la colère pour nous convaincre.

Son arme favorite : la colère

➤ *Je crie donc je suis*

Le nourrisson n'a bien entendu que peu de moyens d'expression. Ses cris sont un langage mais tout langage ne signifie pas un besoin de communication, une quelconque demande justifiée, une carence affective, une souffrance exprimée. C'est le fameux discernement dont les parents doivent faire preuve : savoir s'abstenir de toute réponse automatisée aux cris de l'enfant et ne répondre qu'à ceux qui indiquent un réel besoin. Entre « il ne fait que des caprices » et « il veut sûrement quelque chose », il est souhaitable de retrouver l'équilibre éducatif : a-t-il vraiment un besoin particulier ? Si c'est non, peut-il apprendre que j'existe aussi en tant que parent et qu'il ne peut pas tout obtenir de moi ? Déjà dans nos premières réponses ou premiers refus s'inscrit ce lien soi-autrui si souvent évoqué. Il ne s'agit pas de briser des caprices mais de signifier, par certains refus et donc frustrations, l'existence précoce du lien social.

➤ *Soyons philosophes !*

« Ordinairement les parents parlent beaucoup de briser la volonté de l'enfant. Mais il n'est pas utile de briser leur volonté lorsqu'on n'a pas commencé par la corrompre. Or la première corruption consiste à céder à la volonté despotique de l'enfant, de sorte qu'il peut tout obtenir par ses cris[6]. »

6. Jean-Jacques Rousseau, *op. cit.*, p. 461.

Aujourd'hui, nous lisons toujours les mêmes mots, Rousseau est bien loin : « Dès que l'occasion se présente, la maman peut prendre son tout-petit contre elle. Elle peut aussi répondre rapidement à ses pleurs, qu'ils soient de faim, de gêne ou de simple inconfort, sans craindre de le "gâter"[7]. » Bien sûr, il n'est pas question de quêter le moindre cri pour montrer « qui fait la loi ici ! » mais d'être bien vigilant : il est aussi dramatique de répondre à la demande que de refuser systématiquement au nom de principes. Il vous faut, parents, bien observer ce qui se passe quand vous répondez au tout-petit : est-il satisfait, apaisé et accepte-t-il volontiers votre départ ou, au contraire, la demande s'exacerbe-t-elle, les pleurs et cris s'amplifient-ils dès votre absence ? Dans le cas de l'enfant tyran, tous les témoignages concordent, il n'est jamais satisfait et oblige les parents à divers stratagèmes pour obtenir encore plus.

➤ *Des premières réponses tyranniques*

Rien à voir avec l'angoisse d'un soir où le câlin parental se révèle bien vite efficace et réparateur. Quand le tout-petit puissant se manifeste, ce n'est pas une quelconque demande ponctuelle mais une exigence quotidienne avec son cortège de menaces. Si l'enfant n'obtient pas ce qu'il veut, il se comporte alors pour punir ou faire craquer celui qui oserait refuser ou se rebeller.

Le moment du coucher est bien souvent le prétexte pour soumettre l'adulte : nous n'évoquons pas le rituel bien connu des tout-petits qui réclament tel objet, la tendresse d'un parent ou la petite veilleuse pour s'endormir. Nous parlons du véritable chemin de croix imposé par certains enfants : histoires

---

7. A. Baccus, *op. cit.*

obligatoires, musiques de fond imposées ou dessins animés préférés, présence de certains jouets, alimentation, etc., et surtout, si le parent n'obtempère pas, l'escalade des représailles : l'enfant appelle, puis hurle, se réveille en pleine nuit, se met dans des colères terribles qui valident votre « on ne peut pas le laisser comme ça » !

➤ *La colère a un sens ?*

Parfois oui, souvent non pour le petit tyran. Je ne peux pas être d'accord avec l'idée que le comportement colérique chez l'enfant a un sens. La colère ne signe pas forcément une peur ou angoisse d'abandon, elle ne symbolise pas automatiquement une quête d'autonomie, une révolte contre l'injustice ou l'expression de l'impuissance infantile devant des tâches à accomplir. Elle peut tout simplement traduire l'omnipotence : « Je suis en colère contre tout ce qui heurte mon bon plaisir ou recherche de résultat immédiat, que cet obstacle soit une chose ou une personne. » Ainsi, ne pas céder à la colère devient « je donne raison à cette réalité frustrante », alors qu'obéir à la violence infantile signifie « tu as raison, cette réalité est inadmissible ».

L'on assiste parfois à de véritables *tantrums* comme le disent les Anglo-Saxons ou à l'apparition de spasmes.

➤ *Le spasme du sanglot*

Le spasme du sanglot est une brève perte de connaissance de quelques secondes. Il intervient chez des enfants entre 18 mois et 2 ans. Les spécialistes s'accordent pour évoquer une réaction à une émotion, à une contrariété mais surtout à l'aboutissement d'une crise de colère suite à une frustration et qui n'a pas pu être stoppée à temps. Il pourrait s'agir de la dernière « marche » du comportement colérique ou d'intolérance aux frustrations. Des parents d'enfants tyrans évoquent ces crises qui les faisaient aller aux urgences ou appeler un médecin à domicile. Et quelle arme pour le futur ! Reconnaissons qu'Anne Baccus le souligne très justement : « Il est vrai qu'y assister est très impressionnant... la maman craint un nouveau spasme, en vient à surprotéger l'enfant et n'ose plus rien lui refuser. Les conséquences ne se font pas attendre : l'enfant devient tyrannique et joue avec l'anxiété de ses proches pour obtenir tout ce qu'il veut ! »

Cette exaspération du comportement nous influence dans nos réponses éducatives. Il faut bien sûr stopper ces colères disproportionnées mais se souvenir qu'elles sont un aboutissement et non une génération spontanée. Ces *tantrums* et autres spasmes du sanglot interviennent généralement quand les parents ont cédé sur une multitude de petites exigences, du lever au coucher. Quand l'enfant atteint des sommets de dysfonctionnement, souvenons-nous que nous n'aurons plus que la soumission, la collaboration ou la répression pour nous en sortir, alors que l'éducation, elle, est avant tout une exigence, une autorité en amont de ces fameux points d'orgue. *A contrario*, céder nous mène inéluctablement à l'émotionnel et le plus souvent au rejet.

Je t'aime moi non plus, ou l'autre n'existe pas

➤ *Et c'est le rejet !*

Henri. – Qu'est-ce que tu lui as dit ?

Sonia. – Pour qu'il hurle à la mort ?

Henri. – Écoute, avoue que c'est curieux, on dirait que tu l'énerves à chaque fois.

Sonia. – Tu sais ce qu'il voulait ? Il ne voulait pas « un petit câlin », il voulait une histoire. Il voulait écouter une quatrième histoire en croquant sa pomme.

Henri. – Arnaud, dodo !

Sonia. – La ferme, Arnaud !

Henri. – Comment tu lui parles ?

Sonia. – Ta gueule, Arnaud !

Henri. – Tu es complètement cinglée !

Sonia. – Il se tait, tu vois.

Henri. – Il se tait parce qu'il est traumatisé[8].

Dès le plus bas âge, non seulement il s'impose du soir au matin, ne rencontre que très rarement la frustration, possède déjà beaucoup de biens, a domestiqué les parents mais il est aussi tout simplement adulé. Le désir de photographier ou filmer sa progéniture est bien logique mais de là à l'afficher partout sous forme de véritables posters ! L'hypertrophie du Moi se trouve donc renforcée par l'image qui fait trôner notre enfant tyran dans un cadre très présidentiel et ce dans un bon nombre de pièces de l'habitation.

Cela nous rappelle bien entendu de mauvais souvenirs, ce culte de l'image, du dominant, du chef, du petit dictateur. Ce ne sont en effet que très rarement des scènes de vie où l'on pourrait voir la fratrie ou tel événement familial. Non, il s'agit bien d'un portrait unique, surdimensionné. Et quand le temps sera venu du « regarde c'est Toi ça ! », il n'éprouvera devant son image qu'une brève satisfaction tant il est habitué depuis des années à tenir le haut de l'affiche.

Vénéré à la maison, conforté de toute part dans sa toute-puissance et drapé de sa légitimité, pourquoi voulez-vous qu'il accepte de quitter son royaume ?

---

8. Yasmina Reza, *op. cit.*

Je veux rester chez moi

➤ *Angoisse de séparation ?*

Il est admis que toute séparation d'avec les parents est le plus souvent vécue comme angoissante et qu'il est bien sûr utile de préparer l'enfant. Les séparations qui interviennent vers 7 ou 8 mois doivent être gérées soigneusement. Mais quand le tout-petit a déjà pris le pouvoir à la maison, il n'est pas question pour lui d'affronter un autre domaine où son omnipotence n'est pas reconnue. Les parents se questionnent sur ces comportements de pleurs, et comprennent, par exemple, le refus de la crèche quand il entame sa troisième année : « Nous pensions sincèrement, me confie la mère de Marie, qu'elle ne voulait pas quitter les personnes qu'elle aimait. Nous avons vite abandonné la crèche pour la confier à mes parents, même si quelque part c'est ce que mon mari et moi avions toujours voulu éviter. »

Dans le cas de Marie, l'écart entre les nombreux acquis quotidiens à la maison et les exigences d'une nourrice ou d'adultes professionnels est la cause déterminante des attitudes d'opposition. Ce n'est pas la carence occasionnée par l'absence parentale qui génère les pleurs et les refus mais le vécu des incontournables frustrations qu'impose toute nouvelle réalité. Pourtant, beaucoup de livres spécialisés font cet amalgame entre douleur de la séparation et éloignement d'un être aimé :

« Votre enfant ne pleurera pas à votre départ si vous cachez une petite surprise dans la maison, qu'il n'aura le droit de chercher qu'après votre départ. Mais n'oubliez pas de mettre la nourrice ou la baby-sitter dans la confidence ! » Désormais le petit enfant apprendra que pour toute frustration il lui faut un plaisir de compensation, au lieu de tout simplement la vivre, l'accepter et investir d'autres personnes ou activités.

➤ *Le refus de la crèche, de l'école*

Et la mère de Marie de poursuivre :

« C'était pareil chez une nourrice, elle refusait tout, faisait des comédies, j'ai vite fait appel aux grands-parents. Je pensais qu'avec la crèche et quelques années en plus… » Eh non, c'est proportionnellement l'inverse, plus l'enfant est intolérant aux frustrations en bas âge et plus cette intolérance s'amplifie avec l'âge, c'est un véritable effet boule de neige : du bébé roi au jeune enfant caractériel pour arriver à l'adolescent en crise. L'enfant tyran en développement semble imperméable à toute maturation quant à l'acceptation du principe de réalité et du lien soi-autrui : ni l'âge de raison ni la maturation du jeune adulte n'apporteront la sérénité, bien au contraire. Quant à l'éventuelle rentrée en maternelle, elle posera son lot de problèmes : du mal de ventre ou diverses psychosomatisations aux refus purs et simples. Très tôt, le premier lieu de réelle socialisation va devenir un véritable enfer.

➤ *L'enfer, c'est les autres*

Puisqu'il lui faut partager, se contraindre avec des petits apprentissages, admettre le lien social, « l'autre » devient insupportable, qu'il soit adulte ou du même âge. Pour l'enfant tyran, l'école est vite comprise dans sa volonté de socialisation. Il lui faudra donc conquérir dans tous les domaines : ne jamais prêter ses affaires mais rapter celles des autres, agresser les plus faibles pour les rendre plus serviles, séduire les adultes pour éviter les contraintes.

Devant les oppositions ou conflits de plus en plus prégnants, le corps enseignant risque bien lui aussi de renforcer notre tout-petit dans l'omnipotence : en tentant constamment d'adapter l'école à l'enfant tyran, l'intervenant oublie parfois que beaucoup d'autres enfants pourraient vivre dans un univers moins protégé, moins centré sur eux. Nous sommes toujours dans les excès d'interprétation : de la nécessaire pédagogie de Maria Montessori pour enfin considérer l'enfant dans sa singularité à la capitulation adulte lorsqu'il est dit qu'il faut éviter aux petits toute frustration extérieure et que « tout doit s'apprendre dans le plaisir ».

Le bébé tyran ne semble pas heureux

« Ce qui nous faisait le plus de peine, poursuit la maman de Marie, c'est qu'elle ne semblait jamais heureuse, les rires et les sourires étaient rares ou alors au prix de nos efforts ou d'achats. »

Le bébé tyran n'est pas heureux dans son omnipotence et il s'enferme peu à peu dans des comportements de plus en plus tyranniques parce qu'ils impliquent rapidement les autres et les parents en premier lieu. La volonté du tout-petit n'est pas de faire mal à l'autre, nous ne reprenons pas l'expression de Freud lorsqu'il le qualifie de « pervers polymorphe ». Ce sont ses attitudes omnipotentes renforcées par la permissivité ou la maladresse parentale qui génèrent des attitudes qui font souffrir autrui. La tyrannie est le plus souvent le résultat de son principe de plaisir.

➤ *Attention de ne pas renforcer les comportements*

Au schéma : pleurs => pas de besoins réels => les parents attendent que les pleurs s'atténuent => le tout-petit n'obtient rien (=> il pourrait inclure que le plaisir immédiat n'est pas la règle et que le principe de réalité existe…).

Nous avons : pleurs => « il souffre sûrement ! » => les parents lui proposent du plaisir en plus => j'en redemande puisque c'était l'objectif de départ => pleurs = obtention de plaisir en plus !

Ne renforçons-nous pas les attitudes omnipotentes ?

Il fait…	Notre intervention	Il fait…	C'est…
Il s'énerve avec un jouet.	Nous lui en proposons un autre.	Il s'acharne encore plus sur le nouveau jouet.	**Un renforcement (lui évite une réalité frustrante).**
	Nous insistons pour qu'il joue avec sans crier.	Il maugrée mais le reprend et s'énerve moins.	**Une attitude cohérente (les frustrations sont inévitables).**
Il pleure très fort au coucher.	Nous le prenons dans notre lit.	Il pleure tous les soirs.	**Un renforcement.**
	Nous le laissons dans son lit après « enquête ».	Il tente encore certains soirs mais s'endort sans nous.	**Une intervention adaptée (tu peux dormir seul même si c'est frustrant !).**

Contre le retour aux bonnes vieilles méthodes

Je ne peux que m'inscrire contre toute tentation d'un retour vers les bonnes vieilles valeurs d'antan où la volonté parentale était avant tout de briser l'enfant dans son originalité. Je suis toujours choqué par les versions modernes des propos tels que ceux du chirurgien Mauriceau (1675) que rapporte le magazine *L'Histoire*[9] : « Le bébé doit être emmailloté, afin de donner à son petit corps la figure droite qui est la plus décente et la plus convenable à l'homme et pour l'accoutumer à se tenir sur ses deux pieds ; car, sans cela, il marcherait peut-être à quatre pattes comme la plupart des animaux. »

Mais je suis aussi outré devant les attitudes tyranniques de certains bébés rois qui ne manifestent que des comportements d'exigences sans fin, n'échangent pas de sourires mais semblent tout simplement vivre pour eux, les parents n'étant que l'objet ou le moyen de leurs désirs. Je voudrais tant croire en ces mots d'un autre auteur, cette fois du XVIe siècle, comme quoi les anciens n'étaient pas forcément « anti-enfants » :

« Je vous prie, que l'on estime un peu le plaisir que l'enfant donne. Quand il veut rire, comment il sert à demi ses petits yeux ; quand il veut pleurer, comment il fait la petite lippe ; quand il veut parler, comment il fait des gestes et signes de ses petits doigts ; comment il bégaye de bonne grâce, et double quelques mots, contrefaisant le langage qu'il apprend ; quand il veut cheminer, comment il chancelle de ses petits pieds… Y a-t-il passe-temps pareil à celui que donne un enfant qui mignarde et flatte sa nourrice en

9. *L'Histoire*, n° 262, février, 2002.

tétant ?… quand il rue coups de pied à ceux qui le veulent détourner, et un même instant jette de ses yeux gracieux mille petits ris et œillades à la nourrice[10]. »

Vous l'avez compris, l'enfant développe dès son plus jeune âge une acceptation de la réalité avec ses adversités souvent contraignantes ou, au contraire, une intolérance aux frustrations. Le tout-petit, dans sa fragilité et dans son innocence, stimule le soin et l'affection des parents. Il est nécessaire de le protéger, de l'aimer pour qu'il devienne un homme. Peu à peu, nous, les parents, sommes passés de cette protection bienvenue à une véritable déréalisation puisque nous tentons d'annuler toute frustration quotidienne. Une fois de plus, la société de consommation est montrée du doigt par ses incitations constantes pour que « l'enfant soit heureux ». Mais je conteste certaines affirmations de la psychologie infantile : l'amour, toujours l'amour. Cet amour ne saurait être remis en cause mais nous voyons déjà le résultat de l'apport affectif sans contrainte : l'escalade des demandes d'un tout-petit jamais satisfait, toujours malheureux et bientôt odieux avec ses plaintes, ses harcèlements et ses colères. Seule l'éducation, en instillant une dose de frustration, peut équilibrer cet amour sans fin que tout parent veut apporter à son enfant désiré.

10. Laurent Joubert, médecin, 1578.

CHAPITRE 6

Deuxième stade (4 à 13 ans) : l'enfant castrateur

> « Il importe de l'accoutumer de bonne heure à ne commander ni aux hommes, car il n'est pas leur maître, ni aux choses, car elles ne l'entendent point. »
>
> J.-J. ROUSSEAU, *Émile ou De l'éducation*.

Angoisse de castration : « terme utilisé par les psychanalystes pour désigner l'inquiétude ressentie par l'enfant de 3 à 7 ans. Les menaces et les propos maladroits des parents sont souvent responsables de cette angoisse. » Telle est la définition du *Larousse*. L'angoisse de castration, ce serait donc la peur de subir. L'enfant est de nouveau décrit en victime des parents. Lorsqu'il vient de vivre ses toutes premières années avec l'omnipotence décrite au chapitre précédent, il y a de bonnes chances qu'au stade suivant, entre 4 ou 5 ans et 12 ou 13 ans, cette période qui précède l'adolescence, notre enfant tyran passe au stade supérieur pour tyranniser son monde. Il ne le fait pas de façon consciente mais cela devient une habitude : quiconque se met en travers de son principe de plaisir sera durement traité. Les membres de sa famille seront les victimes privilégiées mais aussi, ne l'oublions pas, tous les intervenants, adultes ou non, qui veulent s'opposer à son omnipotence.

Si, au stade précédent, les parents gardent une certaine patience et compréhension, c'est le : « Vous comprenez, il est tout petit » ; ils peuvent réagir de trois manières différentes à ce nouveau stade : de la reddition totale à la collaboration, avec des sursauts de résistance. Cette pression constante de l'enfant tyran pour satisfaire son bon plaisir crée chez ceux qui sont sollicités une souffrance psychologique (je n'évoquerai les douleurs physiques que pour les passages à l'acte des adolescents tyrans, mais il existe toujours des précoces dans la perversité) qui s'apparente à cette crainte constante que les psychanalystes ont décrite il y a pratiquement un siècle. L'angoisse de castration aurait donc changé de camp, serait-ce un juste retour des choses ?

Une reddition parentale ou l'itinéraire d'un enfant tyran

Je reçois ce courrier de ma fille Cécile qui vient de faire connaissance de Joshua, le petit garçon qu'elle gardera désormais au pair dans cette petite ville du Grand Nord américain :

« Levé à l'aube, avant tout le monde, le petit Joshua, 5 ans, s'énerve dans sa chambre. Il s'active dans tous les coins afin de réveiller ses parents. Affamé, il réclame son petit déjeuner. Pas de bonjour aux parents finalement levés, Joshua descend les marches de l'escalier à vive allure pour se ruer dans la cuisine. La porte du frigo est ouverte et il se sert en toute liberté. Il ne prend pas les céréales habituelles, mais un paquet de crackers. Les parents lui disent gentiment de reposer le paquet à sa place habituelle et de prendre un bol de céréales. Sa réaction : il reprend vivement une poignée de crackers et “s'empiffre” volontairement devant ses parents. L'enfant, au lieu de regagner la table à manger où ses parents déjeunent dorénavant, va jouer dans sa chambre…

10 heures du matin, Joshua est de nouveau enfermé dans sa chambre. Les parents ne peuvent pas entrer. Apparemment, il joue toujours. Pourtant, il va falloir prendre une douche. On frappe donc à la porte à plusieurs reprises. Joshua ne répond pas. Les parents l'appellent et lui demandent d'aller dans la salle de bains. Au bout d'un quart d'heure, pour pouvoir rentrer, le père programme une sortie au vidéo-club du coin afin de louer un Disney pour l'après-midi. L'enfant, libéré de sa surdité passagère, ouvre la porte et s'exclame : “On y va tout de suite !” »

« Il est 11 heures 30 et le petit Joshua réclame son déjeuner. S'étant mal nourri le matin, il crie déjà “famine” bien avant l'heure (prévue). Impatient, il n'est plus question d'attendre plus longtemps. Il ordonne son déjeuner dans l'instant. La mère lui prépare avec amour un plat de pâtes. Aujourd'hui, comme tous les jours d'ailleurs, les légumes seront peu présents. Joshua a des goûts particuliers et, sur la table, on a mis l'assiette Pokemon assortie au joli set de table. Il paraît que Pikachu stimule l'enfant pour manger ! Assis, Joshua attend son plat favori. Il ne s'est pas levé une seule fois pour proposer son aide : mettre le couvert, etc. Sa serviette n'est pas mise. L'assiette est prête, il se jette sur la nourriture. Il se sert peu de la fourchette, il préfère l'utilisation de la cuillère, plus efficace et plus facile. Après la grande faim, la grande soif ? Joshua se lève de table et prend le jus de raisin dans le frigo. La brique de jus de fruits se vide rapidement, Joshua n'hésite pas à se resservir plusieurs fois. Il quitte la salle à manger sans même débarrasser. La serviette accrochée au cou, il retourne dans sa chambre. Plus tard, on retrouvera sa serviette au pied des escaliers… »

➤ *Un peu de détente*

« Le téléphone sonne et c'est Joshua qui décroche. Ne pouvant pas écrire, il ne prendra donc pas le message. L'information qu'il portera à ses parents sera floue. Il est 14 heures et les parents envisagent une petite promenade dans la campagne. Joshua n'est pas motivé, il préfère regarder dès maintenant sa vidéo. Les parents tentent de faire face et lui proposent un arrêt au parc du coin. Joshua, sceptique, se laisse séduire mais à une seule condition : il faut emmener quelques jouets. Il est 14 heures 30, le sac de jouets est enfin préparé. Joshua demande combien de temps prendra la balade. Il expose avec finesse sa fatigue due à son réveil matinal. Les parents décident de prendre la poussette tout terrain. Joshua, vainqueur, est assis confortablement, papa pousse et maman porte le sac de jouets. Une fois arrivé au parc, le petit Joshua s'installe sur un banc pour jouer avec sa "game boy". Les jeux du parc ne l'intéressent pas. Sur le chemin du retour, ils passent devant une boulangerie. Les bonbons de la vitrine allèchent Joshua. Avec un grand sourire, il demande si on peut lui acheter une friandise. Les parents refusent et soutiennent qu'il a déjà mangé au parc. Mécontent, Joshua hurle de colère. Les cris deviennent de plus en plus forts. Les parents, dépassés, tentent de le calmer mais en vain. Ils s'écartent de la boulangerie et rentrent à la maison. La mère propose un arrangement à Joshua : "Si tu ne pleures plus, je te donnerai une surprise." Joshua adhère au pacte et se calme petit à petit. La mère est soulagée, elle pense avoir résolu le problème. »

➤ *Home sweet home*

« Avant le repas du soir, Joshua s'installe devant la télévision. Il regarde les chaînes de *cartoons* et sa vidéo louée dans la matinée. Il est 18 heures 30 et la mère installe le couvert. Elle s'active dans la cuisine pour que le repas soit prêt. Joshua, immergé dans les dessins animés ne bouge pas. Les parents savourent son grand calme après cette journée mouvementée. Le repas est enfin prêt, il faut se diriger dans la salle à manger. Joshua rouspète. Son film n'est pas terminé, il veut absolument le finir. "Tu finiras demain… viens donc souper…" reprend le père. Joshua est catégorique, il ne bougera pas. Le père éteint la télévision et l'amène à table de force. Joshua ne mange pas, il boude. La mère se fâche mais n'agit pas pour autant. Épuisée du comportement de son enfant, elle lui promet de remettre la vidéo si l'assiette est finie. Une fois le repas terminé, Joshua se dirige dans le salon pour visionner de nouveau son film. Il est 21 heures et la soirée commence… »

➤ *Nous en Europe, on sait les éduquer*

C'est vrai, dans notre culture, nous imaginons que l'enfant tyran n'est, comme tous les excès, que le pur produit de la société de consommation américaine ! Les vraies valeurs restent européennes ! Je me souviens de cette conversation d'il y a vingt ans avec un psychologue américain : quand il évoquait le développement psychoaffectif de l'enfant, il parlait souvent d'éducation et beaucoup de mes collègues français le soupçonnaient d'une philosophie toujours aussi utilitariste, pragmatique, d'une approche néobéhavioriste. Pour ces derniers, cela ne pouvait pas être si « simple », l'éducation n'avait que renforcé les pathologies, la psychologie devait rester l'hypothèse explicative première pour tous les dysfonctionnements du développement humain. L'éducation n'était pas une science humaine à part entière et de toute façon nous n'en avions pas besoin puisque nous, Européens, savions éduquer, pas comme ces Anglo-Saxons. Avions-nous, comme toujours, quelques années de retard ?

Vingt années après, le phénomène de l'enfant tyran reste-t-il un produit made in USA ? Attardons-nous dans les familles bien de chez nous et voyons comme le mal est importé, voire amplifié puisque nous n'avons pas leur culture sportive qui, nous le savons, pallie souvent les errements éducatifs familiaux.

Le quotidien de l'enfant castrateur

Nous sommes d'accord, les parents ne sont pas seuls en jeu lorsque l'on évoque la consommation à outrance des enfants nantis du XXIe siècle. Les multinationales savent nous manipuler, il nous faut donc être dix fois plus vigilants, c'est notre seul propos. Tout refuser, certes non, mais tout accepter me semble un bon stimulateur d'omnipotence infantile. Il faut cependant avouer que la lutte est bien souvent inégale quand il s'agit d'affronter les empires du jouet, de l'habillement ou du loisir pour enfants. Les journaux sont utilisés mais l'arme la plus redoutable demeure bien évidemment la télévision et ses publicités quasiment incontournables.

Je lisais récemment dans un quotidien les résultats d'un sondage : les enfants regardent la télévision en moyenne deux heures cinq minutes par jour, la publicité apparaît douze minutes pour deux heures de programme et celle qui concerne la consommation des enfants occupe 10 % du temps total hors vacances scolaires et jusqu'à 32 % en période de vacances ! La logique est donc de restreindre au maximum le loisir télévision. Malheureusement, beaucoup de parents utilisent le tube cathodique pour que l'enfant ne s'ennuie pas et l'enfant tyran ne saurait être frustré par l'ennui.

L'enfant tente constamment de nous solliciter pour partager avec lui, le divertir. C'est bien normal, mais il faut là aussi mettre des limites. L'enfant tyran, lui, n'en a cure et exige que les parents se transforment en gentils organisateurs de camp de vacances. Comme cela n'est pas possible, la télévision est vite proposée pour arrêter les conflits et les demandes des insatiables. De nouveau, l'enfant apprend qu'à la frustration répond le plaisir et il quémandera encore plus fort une nouvelle gratification à l'arrêt du programme de télévision. Les publicités feront le reste : enfant, voilà ce que tu dois consommer et exiger de tes parents !

Je veux ça ! Sinon…

➤ *Les jouets*

Les multinationales du jouet ont bien compris les exigences de l'enfant tyran. Les jeux de bricolage ou de construction ont moins de succès, le jouet doit lui aussi procurer non seulement un plaisir immédiat mais surtout le moins d'efforts possible. Nous avons ainsi vu apparaître les voitures électriques… c'est vrai qu'avec une seule main pour tenir le volant et régler la vitesse du petit véhicule, l'enfant tyran pourra, comme son aîné, consommer autre chose au volant !

Résultat : l'enfant ne joue à rien bien longtemps, veut renouveler le stock, casse beaucoup, veut surtout des CD-ROM, « pour pratiquer l'ordinateur ». J'entendais récemment cette mère qui tentait de convaincre le futur informaticien : « Je t'en ai acheté un la semaine dernière. » Et l'enfant de couiner de plus belle devant cette injustice, pas d'achat de jouet pendant les courses. À presque 40 euros le CD-ROM, cette maman, apparemment d'origine modeste, céda sous les promesses d'une future fausse trêve à la maison, elle avait dû dépenser pour le chéri tout un budget, sans doute alloué à autre chose, sous les menaces et les colères. Le racket financier parental commence.

➤ *Les jeux*

Pour l'enfant tyran, ce n'est plus un moment de détente, malgré le grand choix que lui procure sa caverne d'Ali Baba. Que ce soit avec la fratrie ou avec des copains, tout se termine par des conflits, des histoires à n'en plus finir, des tricheries, des explosions de colère... Jouer ne signifie pas se détendre mais gagner, annuler l'autre, se servir de ses maladresses ou de son jeune âge pour briller, voire écraser.

Résultat : il se retrouve de plus en plus seul et ne trouve plus de copains que pour des activités de consommation : jeux sur ordinateur et bien sûr télévision. Le jeu n'est pas pour l'enfant tyran un outil de socialisation mais un moyen de domination, c'est le « je joue pour moi » et non « nous jouons ensemble ». L'égocentrisme est exacerbé.

Il (ou Nike) choisit ses vêtements

Il impose ses jouets, les jeux avec les autres, il veut bien entendu s'habiller comme il l'entend (ou comme on lui a fait entendre, version sociologique). Mais là où n'importe quel petit enfant tente de négocier un choix d'habit, notre enfant tyran, une fois de plus, utilisera les crises du lever, les menaces par rapport à l'école (« j'irai pas comme ça ! ») pour se vêtir comme il l'entend. Peu à peu, les parents cèdent du terrain, il choisira tout et ne fera pas forcément dans le bon marché ou le rentable. Il n'aime que les marques, pas question d'autre chose, il arborera ces signes extérieurs de richesse comme autant de médailles gagnées auprès de parents vaincus.

Résultat : il ne prend pas soin de ses vêtements, s'en désintéresse vite et lorgne sur de nouvelles marques, compare avec les autres enfants tyrans, exige encore, fait du chantage « vous n'avez pas les moyens ! » dans les familles les plus pauvres, « les autres l'ont ! » pour les plus riches. Satisfait de ses parures ? Non, l'objectif pour l'enfant tyran est d'obtenir toujours plus, pas seulement d'obtenir.

La télévision non ! le câble oui !

Pas question de regarder n'importe quoi à la télévision. L'enfant tyran exigera le câble pour pianoter selon son gré les centaines de chaînes proposées et surtout regarder « ses » programmes. Les parents n'oseront plus imposer telle émission et la solution est toute trouvée : c'est lui qui goûtera au câble devant « son » poste. « C'était la télé dans sa chambre ou mon mari ne pouvait plus rien voir ! » me confie une mère. Les heures allouées pour regarder la petite lucarne ne sont pas déterminées à l'avance, c'est un loisir à volonté, comme le reste.

Résultat : il ne lit plus, il se « gave de télé », « X » heures par jour. Il semble apaisé pendant le gavage mais rebondit de plus belle dès qu'il faut l'interrompre pour manger, pour faire les devoirs (si l'on a cédé pour « son émission avant l'école »). Ce pseudo-arrêt de la guerre familiale que suscite la télévision ne fait qu'amplifier l'intolérance aux frustrations. L'enfant vient de vivre depuis des heures que la régression, le farniente, l'assimilation, le pseudo-plaisir absolu sont possibles. Dur retour au réel… il est encore plus odieux après l'addiction, comme s'il était en manque. S'y ajouteront enfin les refus de toute socialisation, de la promenade avec les parents au partage de jeux ou sorties avec les copains. Mais déjà, il exigera « sa télévision » dès le lever.

➤ *Films et jeux violents*

Les programmes favoris tournent en général autour des séries ou films les plus violents, *idem* pour les jeux CD-ROM. Devant leur « tous nos copains en regardent », les parents finissent par croire que c'est normal, l'enfant est allègrement passé de *Rintintin* à *Terminator*. Mais était-ce bien le même message ?

Résultat : les sociologues s'accordent tous pour dénoncer cette banalisation des actes violents puisque ces jeux ou films n'évoquent pas la souffrance : on tue, on extermine, c'est tout. De là à conclure que ces activités renforcent l'intolérance aux frustrations : j'apprends en jouant ou en regardant que la vraie loi est bien de faire ce qui me plaît et de détruire tout ce ou tous ceux qui me gênent.

L'argent de poche ou les parents rackettés

Les revenus de l'enfant tyran sont souvent importants. Il ne travaille pas, ni chez lui ni à l'école, mais il bénéficie de grandes ressources familiales. Ou les parents cèdent à la demande au coup par coup, ou l'argent de poche est institué sans aucune contrepartie. Cette permissivité parentale n'est pas non plus spontanée, l'enfant tyran a su user de son arme favorite pour l'obtenir. Si, plus tard, il osera les menaces physiques, à la petite enfance, il sait faire le chantage approprié. « Si je n'ai pas d'argent, je le volerai ! », « Tous les autres en ont, vous n'avez pas les moyens », « Je travaillerai bien si vous me donnez ça », etc. Sans parler des mêmes méthodes coercitives pour obtenir : pleurs, cris, crises répétées jusqu'à obtention.

Alors que je demandais à des parents de lier la poche aux résultats scolaires hebdomadaires, un enfant s'écria : « Mais c'est mon argent ! » Je l'interrompis par un : « Tu l'as gagné comment ? » et le père de conclure : « C'est son argent, il ne l'a pas volé ! »

Résultat : le racket va s'étendre à la fratrie, aux grands-parents, pour devenir un véritable salaire à l'adolescence. Pas de remerciements ou de gratuité pour aider les parents, les autres, tout se monnaye et gare à celui qui ne paie pas… Si les dépenses dépassent les revenus, les comptes seront renfloués sans aucune exigence. À l'étape suivante, lorsque les désirs de consommation s'exacerbent, il menacera de voler puis il volera. Chez lui puis ailleurs.

Je veux faire ça, sinon…

➤ *Happy birthday to you !*

« Laisse-le souffler les bougies ! » C'est la demande de la mère qui craint les débordements du petit pendant l'anniversaire du grand-père. Il a d'ailleurs obtenu quelques cadeaux compensatoires : « À cet âge-là, on est un peu jaloux, c'est normal ! » J'imagine que dans quelques années, il faudra lui louer un quelconque Mc Do ou Buffalo Grill avec salle réservée, animations et nombreux cadeaux à la clef pour tous (si les invités bien sûr font acte d'allégeance au prince fêté). J'ai assisté à des anniversaires d'enfants tyrans où l'arrivée des trois Rois mages n'aurait rien eu de surprenant !

Résultat : est-ce la fête ? Non, cela se termine en comédie parce qu'une copine fait la tête ou qu'il y avait moins de cadeaux que chez une autre. Il n'existe jamais de satisfactions pour l'enfant tyran, il veut « plus ». Les parents vont bientôt louer la piscine municipale, je l'ai vu dans un État américain, les adultes me rassuraient avec leur « maintenant il faut chercher pour leur faire plaisir » !

➤ *Toujours plus*

Dans la pratique du « toujours plus », les marketers ont su comprendre les désirs de l'enfant tyran. Un plaisir seul ne saurait exister ! Vous proposez une visite au zoo, l'enfant tyran exige un souvenir en plus ; il va au cirque, il lui faut participer à une loterie où « l'on gagne à tous les coups » ; il s'amuse à la fête foraine, là encore il exigera son cadeau loterie. Et si vous avez les moyens de l'emmener dans un grand parc d'attractions style Disney, il ne sera satisfait, provisoirement, qu'après un dernier achat dans les boutiques de fin de parcours. Ce fameux « plus » pourrait être l'exception, pourquoi pas ? mais pour l'enfant tyran cela devient une habitude, un droit, un de plus !

Résultat : avez-vous vu certains petits sortir du grand temple Disney ? Les oreilles de Mickey sur la tête, le ballon de Minnie à la main, la barbe à papa à l'autre main et les parents chargés d'autres objets. Sourient-ils ? Non, que des pleurs, des gestes brusques, pas de satisfactions, pas de merci pour les parents et nous entendons ces remarques bien banales : « Une journée à Disney c'est tuant pour les enfants ! » Pour les enfants tyrans sans doute ! J'en ai rencontré qui étaient heureux, qui acceptaient les longues files d'attente et regardaient leurs parents avec tout simplement une joie d'enfant. L'éducation avait dû précéder le voyage ; ce n'est pas à Disney, bien sûr, qu'il est possible de rééduquer !

➤ *« Ses » loisirs*

Les enfants tyrans n'aiment guère le routinier. Ils ont l'art d'abandonner toute activité, qu'elle soit sportive ou musicale dès qu'apparaît la moindre répétition ou contrainte. Apprendre le solfège n'a aucun intérêt, pas de principe de plaisir immédiat, les instruments seront changés puis délaissés. S'entraîner pour d'éventuelles compétitions n'est pas motivant, ils chercheront le sport qui ne donne que du plaisir : cette quête impossible les mènera des sports collectifs aux individuels pour finalement les faire décréter à l'adolescence : « Je n'aime pas le sport ! »

Résultat : la démotivation prend toujours le pas, les conflits avec les enseignants, les entraîneurs ou animateurs sont nombreux, sans parler des rivalités avec les autres enfants. Toujours le même cercle vicieux : je m'ennuie parce que le plaisir n'est pas à son maximum (en fait l'indispensable frustration arrive) et je désire une autre activité qui va me donner, dans un premier temps seulement, ce plaisir immédiat recherché.

Vous observez dans ses loisirs…	**Vous pourriez penser…**	**C'est peut-être le signe…**
Il change d'instrument de musique ou de sport.	Il veut essayer autre chose.	… qu'il évite une contrainte.
Il aime changer d'activités.	Il est curieux.	… qu'il décide d'arrêter quand il veut.
Il manque de régularité.	Il n'aime pas les routines.	… qu'il refuse les règles.
Il n'aime pas son entraîneur.	Il a un prof rigide.	… qu'il évite l'autorité.

Ne jamais souffrir

➤ *Ne plus avoir mal aux dents !*

« Votre salle d'attente n'est pas drôle pour les enfants ! » me lance une maman reine mère. Désolé, pas de jouets, quelques revues enfantines, bref une salle d'attente où on attend ! Il va falloir que je me mette à la page, j'ai vu des salons de coiffure avec des présentations de cassettes vidéo, des aires de jeux dans les restaurations rapides. J'ai même lu que, dans certaines villes de l'Ouest américain, les dentistes demandaient à leurs assistantes de se déguiser en clown pour que les petits aient moins peur de l'intervention.

Résultat : toute phase d'ennui devient intolérable et ce cocooning ne fera qu'augmenter l'intolérance aux frustrations de l'enfant tyran… pourvu qu'il n'ait pas soif ou faim après le coiffeur ou le dentiste…

Dites que je suis bon sinon…

➤ *Dès la maternelle*

L'enfant tyran sait monopoliser l'attention. Très vite, les institutrices le trouvent agressif, peu sociable, très instable. Mais il est si intelligent, si expressif et si séduisant que beaucoup répondent par une relation privilégiée et une stimulation dans les apprentissages : « Quelle soif d'apprendre ! » En fait, nous assistons déjà à un programme à la carte, les dysfonctionnements sont interprétés comme une simple difficulté d'adaptation qu'il faut juguler par le « relationnel », l'enfant tyran apprend très tôt qu'on obtient « plus » en provoquant et refusant les règles que l'inverse ! Son inadaptation avec les autres enfants n'alarme personne, cela paraît être la conséquence normale d'une personnalité « déjà très mature pour son âge ». L'enfant tyran, je l'ai déjà souligné, sait manier le verbe mieux que quiconque, a souvent bénéficié d'apprentissages à domicile, sait le plus souvent lire avant la classe de CP.

Résultat : le maternage des institutrices renforce son désir d'école à la carte. Pas question pour lui de se glisser dans le rythme du commun des mortels. Des précepteurs à domicile aux adultes « significatifs privilégiés » de la maternelle, l'enfant tyran vient d'apprendre, à ses dépens, que l'apprentissage, l'école en général, est un lieu de plaisir et qu'il est unique parce que meilleur que les autres.

➤ *Je pense donc je suis, ou le petit génie*

Les désillusions peuvent arriver rapidement mais en général, les classes primaires vont renforcer ses talents premiers. S'il bénéficie d'un apprentissage de la lecture par une méthode globale ou semi-globale, il se réjouit de lire aussi vite sans la contrainte de l'alphabétisation. Tant pis pour l'orthographe, il n'aimera jamais cela et sera surtout motivé par l'arithmétique où il semble jouer sans efforts. Et quelle maturité pour l'histoire ou les sciences puisque sa passion pour les jeux CD-ROM, ses longues heures devant la télévision (comme quoi elle est bien utile !), sa participation aux conversations adultes (puisqu'il ne se couche jamais comme un enfant) et tout ce qu'il a pris sur le monde des « grands » le favorisent indiscutablement sur le plan verbal : c'est du plaqué mais cela enthousiasme l'enseignant qui parle déjà de sauter une classe, le petit semble tellement s'ennuyer. S'il bloque de plus en plus côté motivation, le diagnostic de certains psychologues scolaires ne fera aucun doute : c'est bien l'hypothèse d'une précocité. Il ne travaille plus parce qu'il est doué !

Résultat : on stimule chez lui l'enfant-adulte qui ne veut plus accepter la vie d'un enfant, il piège les enseignants comme les parents avec des discussions sans fin, des verbalisations et une intellectualisation à outrance. Il se démarque un peu plus des autres enfants de son âge, s'isole non parce qu'il est rejeté mais parce qu'il les rejette. Il s'affirme en jeune dictateur, personne ne l'aime, il ne lui reste plus qu'à mépriser la plèbe. Tout est là pour le futur symptôme d'enfant précoce. La confusion entre précocité et fainéantise peut lui permettre de franchir allègrement toutes les étapes de la scolarisation jusqu'à ce que ce soit trop visible, en général vers le milieu de la classe de seconde.

➤ *« Vous me prenez la tête ! »*

Et gare à celui, enseignant ou intervenant, qui ose dévoiler la supercherie ! Dès que l'adulte entend affirmer la moindre autorité, il ne dialogue plus avec un enfant mature mais sûrement avec un enfant précoce dans les menaces, les insultes. Pris sur le fait, ce n'est plus le « je le jure sur la tête de ma mère » qui domine mais un cinglant « il me prend la tête lui » ! Le vocabulaire de combat est déroutant, les enfants tyrans jurent comme on entend rarement les adultes le faire si ce n'est dans des occasions extrêmes. Les « va te faire... », « n... ta mère ! » sont un langage courant dès les classes primaires, toutes classes sociales confondues.

Résultat : le langage n'est plus le véhicule du relationnel mais l'arme redoutable pour détruire l'adulte ou le copain. Soyons intolérants devant ces passages à l'acte verbaux (trop souvent banalisés dans les films). Je demande toujours aux adultes professionnels d'imposer le vouvoiement, le « tu » amical des enfants tyrans signe toujours une relation de maître à valet.

➤ *Il travaille trop*

Parent du XXIe siècle : un bourreau ! Quand je relis cette loi de 1841 qui limite le travail des enfants de moins de 12 ans :

« Article 2 : les enfants devront, pour être admis, avoir au moins huit ans. De huit à douze ans, ils ne pourront être employés au travail effectif plus de huit heures sur vingt-quatre, divisées par un repos. De douze à seize ans, ils ne pourront être employés au travail effectif plus de douze heures sur vingt-quatre, divisées par des repos. Ce travail ne pourra avoir lieu que de cinq heures du matin à neuf heures du soir. »

Et que j'écoute Adeline, 11 ans, élève de sixième :

« Les parents ne pensent qu'au travail. Déjà toute la journée à l'école, on n'arrête pas et il faut recommencer le soir… et pourquoi pas pendant les vacances ? » Lorsque je calcule avec Adeline la somme de travail effectuée en dehors de l'école, je n'obtiens qu'un petit quart d'heure par soirée pendant quatre jours. Un total d'une heure extrascolaire par semaine, les activités de loisirs extérieurs, les jeux à la maison et la télévision monopolisent tout le reste. Adeline est très intelligente, mais n'a que de médiocres résultats scolaires ; je peux soupçonner que les heures de travail « effectif » à l'école ne sont pas si lourdes que cela. Mais, me précise-t-elle en voyant mon air dubitatif à la fin de nos calculs : « Vous savez, je suis tellement fatiguée ! » Entre le trop-plein du XIXe siècle et l'absence de frustrations du XXIe, il doit sûrement y avoir une place pour renouer avec le travail.

➤ *Plus roi que les vrais rois*

D'après les historiens, le jeune Louis XIV n'avait pas autant de privilèges que l'on croit. Ses précepteurs et autres éducateurs lui apprenaient dès l'âge de sept ans qu'il devait, lui aussi, accepter certaines frustrations :

« L'an 1645 (le roi est né en 1638), après que le roi fut tiré des mains des femmes… je fus le premier qui couchai dans la chambre de Sa Majesté, ce qui l'étonna d'abord ne voyant plus de femmes auprès de lui ; mais ce qui lui fit le plus de peine était que je ne pouvais lui fournir des contes de *Peau d'âne* avec lesquels les femmes avaient coutume de l'endormir[1]. » Quand j'entends tous les débordements de mes chers enfants rois parce que le père ou la mère ont décidé de lui accorder moins de privilèges !

Mais il est bien inutile de revenir à ces temps éloignés de la royauté si l'on applique tout simplement certaines hypothèses éducatives. Louis Roussel nous décrit judicieusement ce que devrait être cette « petite enfance » : « On a oublié qu'entre la petite enfance et l'adolescence, il y avait une enfance, qui est un temps d'apprentissage progressif de la condition humaine, de la découverte du réel, de la vie en société, et donc des obligations et des interdits. »

➤ *Louis XIX*

Lorsque je les invite à quitter la salle d'attente, Louis, âgé de 12 ans, se précipite dans le bureau pour s'installer royalement dans un des deux fauteuils (habituellement disposés pour les parents), le père aura la chaise d'appoint. L'entretien débute ; à toutes les questions que j'adresse aux parents, j'obtiens la même remarque : « Louis, tu peux répondre au monsieur, c'est de toi qu'on parle ! » Quand l'un d'eux ose affirmer quelque chose, l'enfant les coupe avec des « c'est faux », des « vous dites n'importe quoi ! » et des « vous mentez ! ». Rien ne va plus, c'est l'enfer à la maison pour se faire

1. Témoignage du valet de chambre Laporte repris dans *L'Histoire*, n° 262, février 2002.

obéir (repas, hygiène, couchers, petites tâches) et les notes scolaires sont catastrophiques en classe de sixième, il avait pourtant redoublé le CM1.

Le père. – Il a tout ! Je me demande ce qu'il faut pour qu'il soit heureux !

Louis. – Mais ça va, moi !

Le thérapeute. – Existe-t-il des conséquences, des punitions quand il continue de désobéir, ne travaille pas pour l'école ?

Le père. – J'ai tout essayé, rien ne marche ! Rien ne l'atteint !

Le thérapeute (s'adressant à Louis). – Plus de télévision, pas de sorties, pas d'argent, tu t'en moques ?

Louis. – Avec moi le chantage ça ne marche pas !

Le thérapeute. – Qu'aime-t-il vraiment ?

La mère. – L'activité du mercredi à l'association sportive du collège !

Le thérapeute. – Vous avez déjà supprimé cette activité ?

La mère. – Pour ?

Le thérapeute. – Si Louis ne fait aucun effort à la maison et à l'école, cela pourrait être une conséquence. Vous ne l'emmenez plus à ses activités du mercredi, il reste à la maison !

Louis (se tourne vers les parents). – Je vous interdis d'enlever mon mercredi après-midi !

Le père. – C'est vrai que c'est la seule chose qui marche bien !

Le thérapeute. – Louis interdit d'interdire !

Le père (effrayé). – Si on fait ça, alors... Déjà que pour une heure de télévision en moins c'est la bagarre !

Le père de Louis est blême, il n'ose croiser le regard assassin du fiston, il a peur. Ce n'est pas l'enfant qui subit une quelconque pression ou s'angoisse, c'est le père. Qui craint l'autre ? Il ne veut plus se battre après toutes les défaites subies. Il est de nouveau impuissant, castré. Il faudra donc l'aider à reconquérir le terrain perdu. Ce ne sera pas chose facile, l'adolescence arrive à grands pas.

Une période de latence ?

Là où certaines affirmations ne voient qu'un âge où tout est en sommeil, latent, nous assistons à la véritable prise de pouvoir de l'enfant tyran. Son complexe d'Œdipe, dépassé ou non, cède le pas devant son exigence de consommation. Évidemment stimulé par les marchands de tout poil, il s'engouffre dans cette réalité du plaisir immédiat. Et s'il est en manque, il saura tyranniser. Les parents, sans doute eux-mêmes obnubilés par la tentation d'avoir et non d'être, capitulent et surenchérissent. L'enfant tyran veut tout, vêtements, loisirs et l'argent devient un signe d'amour. Il s'installe dans le toujours plus, dans cette addiction au plaisir. Loin de lui procurer du bonheur, cette volonté de plaisir immédiat crée un mal-être dès le moindre déplaisir. Il redemandera un plaisir plus fort et rentrera dans un véritable syndrome d'intolérance aux frustrations de plus en plus virulent. Ce dernier a vu le jour au stade précédent et va s'exacerber dans cette petite enfance. Ceux ou les contextes qui tentent de réintroduire le principe de réalité sont vaincus. S'il n'est pas arrêté à cette époque, si l'autorité parentale est absente, nous assistons, à ce deuxième stade, à l'amplification du développement de l'omnipotence infantile. Il ne lui reste qu'à parachever ses exigences tyranniques avec de nouveaux atouts : ceux de l'adolescence.

CHAPITRE 7

Troisième stade : l'adolescent en crise

« Lorsque les pères s'habituent à laisser faire les enfants,
Lorsque les fils ne tiennent plus compte de leurs paroles,
Lorsque les maîtres tremblent devant leurs élèves et préfèrent les flatter,
Lorsque finalement les jeunes méprisent les lois, parce qu'ils ne reconnaissent plus, au-dessus d'eux, l'autorité de rien et de personne,
Alors c'est là, en toute beauté et en toute jeunesse, le début de la tyrannie. »

Platon, *La République*.

La révolution pubertaire

Nul ne saurait contester l'impact du bouleversement physiologique de la puberté. Mais peut-on tout ramener à l'émergence de la sexualité adulte ? Encore une fois, nous ne pouvons garder cette analyse qu'en termes d'hypothèse. Bien souvent, les auteurs classiques, s'ils sont d'accord avec la nécessité d'une forte présence parentale à l'adolescence, minimisent une fois de plus leur responsabilité quand les dysfonctionnements augmentent. Ainsi, Patrick Delaroche[1] nous propose de garder avant tout le dialogue avec l'adolescent fragilisé de cette période : « Votre adolescent se bute bêtement, s'oppose systématiquement, se mure dans le silence… ne le laissez pas s'enfermer dans son refus, c'est lui le plus malheureux. Tenez-en compte, prenez-le en considération et proposez-lui patiemment autre chose : il sera le premier soulagé. »

Certes, nous avons tous connu des adolescents en souffrance, en quête de leur corps, de leur identité, perdus dans ce maelström pubertaire. Mais nous évoquons ici non pas ces jeunes hommes ou femmes qui subissent, craignent, hésitent, se cherchent et souffrent, mais tout leur contraire : des adolescents tyrans qui manifestent très vite la même escalade d'exigences et la même propension à la tyrannie que dans les deux premiers stades précédemment décrits.

Une tyrannie à son apogée

Nous l'avons compris, la tyrannie infantile se construit dès le plus jeune âge. Il existe bel et bien un aspect développemental : le tout-petit qui ne voit jamais son principe de plaisir immédiat équilibré par l'apprentissage des limites, de la réalité, de l'existence d'autrui tendra à majorer ses exigences pendant la petite enfance. À cette seconde époque, si l'enfant ne rencontre toujours pas l'autorité, la frustration, il s'enfermera dans une omnipotence de plus en plus mal vécue puisque ce stade de développement correspond normalement à la période dite de socialisation.

1. *Doit-on céder aux adolescents ?* et *Osez dire non !* Paris, Albin Michel, 1999.

Quand arrive l'adolescence, s'il n'est pas stoppé dans cette involution (il ne s'est pas construit de l'égocentrisme vers le social, ce qui serait l'évolution mais a, bien au contraire, hypertrophié son « Moi ») il amplifie son intolérance aux frustrations, sa recherche constante du principe de plaisir. Mais, plus armé physiquement et intellectuellement, il passera au cap supérieur dans la tyrannie qu'il va faire vivre à sa famille et aux autres en général.

Crise d'adolescence ?

Quand il s'agit de se heurter aux idéaux adultes, de contester certains modes de vie, des goûts qui lui paraissent dépassés, des philosophies pour lui surannées, l'adolescent signe sa volonté de comprendre, de réfuter pour mieux initier et construire. Il cherche sa voie, prend d'un côté, rejette de l'autre, mais l'objectif est toujours de trouver sa synthèse pour s'inscrire dans le futur monde adulte. L'incompréhension est souvent grande face aux raisonnements dits matures, parfois sages et réalistes, quelquefois fatalistes des plus âgés. L'adolescent qui sait profiter d'une pensée plus abstraite, formelle, ne saurait anticiper sa vie sans évaluer les modèles que nous lui avons présentés. Il ne peut garder son idéalisme qu'au prix d'une remise en cause du réalisme familial ou de certaines de ses valeurs.

Est-ce là vraiment une crise ? S'il éprouve certainement un malaise devant la vérité abrupte du monde adulte, ce n'est pas obligatoirement la souffrance qu'évoquent certains. Une fois de plus, les pathologies adolescentes ne doivent pas masquer le réel : ces excès, ces maladies ou passages à l'acte importants sont le fait d'une minorité d'adolescents qui perdent leurs repères au moment où ils en ont le plus besoin.

Gardons-nous de toujours décrire les stades du développement psychosocial humain au regard des troubles du comportement ou des pathologies les plus sévères.

➤ *Drogue, anorexie, délinquance, fugues, suicides*

Le regard non averti qui lit des articles sur l'adolescence craindra le pire s'il adhère aux témoignages des spécialistes ou de certains jeunes à la dérive : c'est une période de la vie extrêmement fragile et tout abus parental aura les pires des conséquences. Si vous ne prenez pas de multiples précautions avec votre enfant, toute rupture affective peut le plonger dans la plus grande des dépressions : dès lors, ce sera le refus de manger, la dépendance aux produits toxiques, l'attirance pour les actes délictueux, pour ne pas parler de ses envies d'en finir.

Si l'adolescence est à prendre au sérieux, nul ne peut le contester, elle n'est pas plus que les étapes de développement précédentes, une phase déterminante pour le futur. Des adolescences difficiles ne traduiront pas toujours des adultes pathologiques. Toujours cette fameuse résilience qu'invoque Boris Cyrulnik : l'humain est beaucoup moins fragile qu'on ne le croit. Il est beaucoup moins « psychologiquement déterminé » par les expériences précoces de son milieu familial ou de son environnement qu'on a bien voulu nous le faire croire.

Non, les pathologies adolescentes ne sont pas la réalité adolescente. Les marginalisations extrêmes ne le sont pas plus. Les piercings, chevelures rouges et autres extravagances ne sont pas le signe du malaise de l'adolescence (ces originalités ont d'ailleurs fait beaucoup d'adeptes chez les adultes !) mais peuvent traduire le malaise de certains adolescents.

➤ *Les cheveux teints en jaune est-ce normal ?*

J'évoquais avec des collègues le travail qui m'était confié : donner un avis sur un scénario « ado » pour une future émission de télévision. Le thème est le suivant : « Il a très mauvais genre » et, de fait, nous lisons une discussion entre un adolescent de 15 ans et ses parents, qui vient de revenir du collège les cheveux teints en jaune. Tout de suite, certains de mes amis professionnels qualifient cette attitude de « pure provocation ado, on a tous fait pareil, souviens-toi les cheveux longs ! Faut laisser faire le temps ! », d'autres pensent à un « appel, il montre une souffrance, cet ado doit parler et pourquoi pas à un psy ? ». J'émettais à mon tour une hypothèse : « Les cheveux en jaune, est-ce un fait isolé ou une escalade dans les comportements marginaux ? » Les « tu restes trop dans le réel, dans le comportemental ! » fusent et quand je poursuis par « l'aspect extérieur pourrait-il signer chez l'ado une volonté tout simplement de faire ce qu'il veut quand il veut ? », je reçois une volée de bois vert. La psychologie se doit de trouver un sens au « symptôme » qui n'est jamais si simple. Je repense à certains ados style Iroquois que je rencontre : la plupart vivent une mauvaise intégration scolaire, ne travaillent ni au lycée ni ailleurs, ne communiquent plus avec leurs parents que pour marchander leurs subsides, consomment le cannabis comme des dépendants (rien à voir avec la fumette du vendredi soir), ont des fréquentations douteuses, bénéficient d'une grande liberté de sorties, ne pratiquent pas de sport, n'ont pas de loisirs ou d'intérêts particuliers. Leur vécu est bien celui d'enfants tyrans pour qui tout a toujours été possible, avec un principe de plaisir qui l'a toujours emporté et cette vie qui, paradoxalement, devient de plus en plus réelle.

➤ *Mon fils, cher confrère !*

Jérémie, 17 ans, me toise, confortablement installé dans un des fauteuils du bureau. Ce siège n'est plus un « non-rocking chair », c'est devenu un trône. Ses parents viennent de nous quitter, son père est un professionnel de santé et m'a gratifié de quelques conseils : « C'est juste un petit problème de motivation scolaire, il a besoin de méthode de travail, pour le reste c'est un ado typique ! » Un ado typique, je regarde de nouveau Jérémie qui me lance un : « Quelque chose qui ne va pas ? » Oui, c'est ça, quelque chose qui ne va pas : ce jeune, crâne rasé, l'allure martiale, la mâchoire serrée, la tenue beige militaire sur des bottines noires avec des lacets guerriers. Des images me viennent, pas trop sympathiques mais c'est un ado, et c'est mon métier. La discussion sera en pleine harmonie avec l'allure, j'ai un petit nazillon devant moi, tous les thèmes sont là : il fait partie d'un groupe, une élite qui connaît la vérité, rejette les « faibles », tous les drogués et surtout les dealers « vous savez, d'Afrique ou d'ailleurs », parle de la dominance de certains qu'il faut éradiquer : « Ils continuent avec Sharon ! » (nous sommes en plein conflit israélo-palestinien), réclame de l'ordre pour lutter contre les sauvageons et puis ce long monologue où il n'est question que de lui, « Moi, Moi, Moi ! » Aucun intérêt pour autrui, pas d'amitié stable, tout tourne autour de lui. Les parents : « Ça va bien, ils sont sympas, ils me respectent dans mes opinions, surtout mon père, il est comme vous, il sait parler aux jeunes. » Je n'ai sans doute pas bien su lui parler. Il m'a supporté deux séances, a pris mes questions et mes silences pour de l'intérêt mais quand j'ai voulu travailler avec lui sur les méthodes et qu'il me fallait bien un minimum de coopération pour le travail scolaire à la maison, je me suis heurté à un « Je suis ici pour parler ! » et je n'ai revu personne.

➤ *Il manque d'amour*

L'interprétation de P. Delaroche[2] ne peut que me conforter dans mes doutes sur les réelles carences affectives de l'adolescent en crise : « L'opposition est le moyen qu'a trouvé l'adolescent pour tenter de mettre de la distance avec ses parents et d'échapper ainsi à un amour réciproque qui lui fait peur. » Je n'ai donc rien compris, les comportements déviants ne seraient qu'un mécanisme de défense qui masque la profonde détresse inconsciente. Je me souviens de Ronald, 19 ans, qui avait stoppé sa scolarisation depuis sa majorité et souhaitait faire le point à trois mois du baccalauréat, il ne se « sentait pas bien ».

Ronald. – Fallait que je vois un psy, rien ne va plus dans ma tête !

Le thérapeute. – Le baccalauréat approche ?

Ronald. – C'est comme l'an dernier avant que je le rate !

Je le questionne, tente de comprendre cette dépression diagnostiquée par son médecin traitant. Rien d'alarmant dans son histoire, les événements traumatisants doivent être bien refoulés et hors de ma compréhension cognitiviste. Tout ce qu'il me dit est le témoignage d'une vie sans contraintes avec une dernière année en apothéose.

Ronald. – J'ai arrêté la terminale en octobre, j'étais majeur. Et puis mes parents m'ont loué un studio pour que

---

2. *Osez dire non !*, Paris, Albin Michel, 1999.

je sois plus libre. Mais les cours par correspondance, ça m'a encore moins stimulé.

J'ai continué d'investiguer côté manque d'amour : « Mes parents sont superchouettes ! » Les filles ? « J'ai une copine extra, on vit ensemble ! » Je n'ai trouvé que des : « Je vais bientôt avoir une voiture, mon père m'a trouvé un boulot pour cet été », « Ce qui ne va pas c'est que je refais comme l'an dernier, je n'arrive pas à me concentrer sur le bac ! » Carence affective typique de l'adolescent ou hypothèse d'une forte intolérance aux frustrations ?

➤ *Je suis jeune, pas immature*

Je me souviens de cette liste que j'avais demandée à un adolescent de 16 ans qui ne cessait de me dire : « Mais c'est normal à mon âge ! » Je lui avais proposé de m'écrire tout ce qu'il considérait comme étant une caractéristique « jeune » et non comme je pourrais le prétendre un signe d'immaturité. Il l'avait rédigée sous forme de courrier :

« Monsieur… J'ai fait votre liste, c'est prise de tête mais je comprends où vous voulez m'emmener. N'empêche qu'il faut que vous compreniez mieux les jeunes. Alors, voilà ce qui est normal pour un jeune de notre époque : pouvoir sortir le week-end et une autre fois dans la semaine, avoir une copine, ne pas penser qu'à l'école, avoir un scooter, aimer le skateboard, s'éclater de temps en temps avec un pétard, chercher le "fun" le plus souvent possible, écouter de la musique pas ringarde, s'habiller comme on veut… »

La liste était longue mais à aucun moment je ne lisais les moyens pour obtenir tout cela : c'est ce que l'on doit avoir, le biberon de l'adolescence, un point c'est tout. Rien sur un quelconque idéal, des rêves, rien n'apparaissait non plus sur la dimension sociale ou tout simplement la question environnementale, rien sur la fratrie, les amitiés, sur les autres en général. C'était bien une liste à sens unique, le travail allait pouvoir commencer puisqu'il comprenait où je voulais l'emmener. Il est resté fidèle aux rendez-vous, me regardait souvent d'un air goguenard mais un jour il m'a gratifié d'un : « Si j'ai bien compris, être immature c'est refuser la frustration ! Alors il n'y a pas que les jeunes qui le sont ! » Bien vu !

➤ *Il conteste*

Monsieur R. n'a pas de gros revenus, il peine pour donner un niveau de vie convenable à toute sa petite famille. Il nous aide au cabinet pour certains travaux d'entretien. Cela ne va pas fort avec le fils aîné depuis déjà quelques mois mais comme il nous le dit : « C'est l'âge qui veut ça ! » Et puis de nous conter les grandes vacances. Il avait choisi la nature, sa femme adorait marcher, lui-même voulait se détendre loin de la ville. Les quinze jours de séjour furent d'après lui ponctués d'incidents divers, les enfants s'ennuyaient, ne voulaient pas aider, n'appréciaient rien, surtout l'aîné. Et puis il nous assène un « de toute façon, la Lozère, c'est pas pour les jeunes » !

Parce que ? La Lozère ne propose pas de discothèques, d'activités en tout genre, c'est donc nul. Et je vois déjà Monsieur R. négocier les futures vacances avec ses enfants : ce ne sera pas une communication, un échange sur des objectifs communs, le choix sera le fait du prince.

➤ *L'école, c'est nul*

J'évoque la non-performance comme une des particularités de l'élève intolérant aux frustrations dans mon livre *Peut mieux faire !* Ces adolescents ont en général un fort potentiel, mais restent toujours en dessous de ce qu'ils pourraient obtenir côté résultats. En fait, l'absence d'efforts, de travail se traduit par ces fameux commentaires des enseignants : manque de concentration, irrégulier, travail insuffisant. L'école ne doit surtout pas être le lieu des apprentissages et des inévitables frustrations, ce doit être l'endroit où l'enfant tyran est reconnu dans sa brillance, dans ses talents naturels de beau parleur, de faux mature. Le scolaire, c'est pour mieux dominer l'autre, élève compagnon ou adulte, pas pour intégrer la réalité, devenir humble devant l'à-pic du non-savoir avec ses aspects bien sûr positifs mais aussi contraignants. Et puis c'est le rejet du scolaire en général. Les parents qui ne croient pas à l'hypothèse de l'extrême fragilité devant la frustration vont cibler l'Éducation nationale comme responsable et courir d'institutions en institutions pour trouver enfin l'école adaptée.

Et Marc, 17 ans, me confie à quelques mois du baccalauréat qu'il doit préparer dans un lycée expérimental : « Ça me fait peur, j'ai jamais travaillé jusqu'à maintenant, mais je peux peut-être m'en tirer avec l'option cinéma, c'est tout de même coefficient 7 ! »

Apprendre sans frustrations ou les remarques de Marc sur le parcours d'un élève enfant tyran

« Tout le cycle primaire était facile, ça "cartonnait !" je préférais les maths, ça donnait moins de boulot, c'était comme un jeu ! » « Les langues, le français, ça m'a toujours déplu », « Les parents ne disaient rien, les résultats passaient bien », « En sixième, j'avais des bonnes notes mais en fait je ne fichais rien ! » « Jusqu'en fin de troisième ça tenait plus ou moins bien », « La seconde, c'était cata », « Je ne comprends

pas, maintenant les résultats s'effondrent », « Pourtant je comprends les cours », « Je ne vais pas passer ma jeunesse à bosser comme les têtes... »

Et je me souviens de Margot, 14 ans : rien n'y faisait, la motivation scolaire était toujours aussi faible. Le maillon faible : les seuls moments d'exigence, de travail et d'autorité avaient lieu chez nous, chez les psy ! Finalement son père opta pour une école privée, chère, éloignée de notre province, une pension aux accents quasi militaires. Une institution vieille mode, très XIXe, un endroit pour de vraies princesses, pas des enfants rois, mais comme elle me le disait plus tard : « Au moins là j'apprends à travailler, on ne cause pas, on fait ! » Une fois de plus, l'acquisition de la frustration sera l'œuvre des autres adultes, les parents accueilleront bientôt la petite reine à la gare, sans doute pour un week-end royal !

Et, pour tous, cette constance dans le cursus scolaire : dès le primaire, ils ont appris qu'il n'était pas nécessaire de travailler chez soi, n'ont acquis aucune méthodologie de travail, ne savent pas gérer leur temps pour organiser les devoirs, sont tous habitués à comprendre et réagir vite au détriment d'une bonne intégration des données ou des informations. La réalité scolaire n'a jamais répondu à un quelconque objectif à court ou moyen terme. Ils ont été libres de tout contrôle parental réel, au mieux jusqu'aux premiers dysfonctionnements des classes de lycée, au pire à l'approche des vraies « échéances ».

➤ *Je veux faire « prépa »*

Car l'enfant tyran ne saurait se contenter d'une quelconque formation universitaire. Il lui faut du glorieux puisqu'il a toujours été considéré comme « au-dessus de la moyenne » ! « Je veux faire Sciences-Po » me dit Antoine mais il ajoute, lucide : « Ça va être dur d'entrer en prépa, je n'ai jamais beaucoup travaillé ! » Et les parents de tenter de sévir, en tout cas de le menacer par leur : « Tu ne feras pas Sciences-Po si tu continues ! » La dure réalité risque de s'imposer plus vite que prévu, le « je n'étais pas aussi bon que ça ! » va commencer à habiter l'enfant tyran. S'il vient d'un milieu modeste, il va apprendre en quelques années que son règne n'avait été qu'illusion, le principe de réalité reprenant le dessus. Son estime de soi, si fragile parce que factice, risque de s'effondrer, il rentrera désormais dans le cycle infernal des enfants rois détrônés : de la passivité la plus grande avec de profonds sentiments de dévalorisation, voire des dépressions, à l'agressivité puisqu'il faut bien haïr quelqu'un ou quelque chose. Dans les contextes sociaux plus favorisés, les parents sauront lui acheter une autre prépa, il pourra encore croire en son royaume, une fuite en avant qui ne fera que précéder les vicissitudes du futur adulte roi qu'il deviendra à coup sûr, mais c'est une autre histoire.

Il exige

➤ *Les congés payés*

Et cette adolescente qui fanfaronnait chaque été en club de vacances en Corse alors que sa mère faisait des ménages et bien sûr restait à son domicile tout l'été. Les Cosette ont changé de camp. L'enfant tyran veut toujours plus, pas question de rater « ses vacances ». À aucun moment ces enfants ne s'interrogent sur les vacances de leurs parents, aucune réciprocité, aucun respect d'autrui dans ces diktats. Les parents, s'ils sont encore acceptés pour les accompagner, ne feront office que de banque. « Si c'est pour retrouver la même ambiance qu'à la maison ! » comme je l'entends souvent.

Une nouvelle fausse accalmie dans la tempête de l'omnipotence infantile. Ce ne sont plus les vacances des parents avec les enfants mais les vacances des enfants avec éventuellement les parents porte-bagages et porte-monnaie. Quand je fais remarquer à mon adolescente que tout cela coûte cher, la réponse ne se fait pas attendre : « Pourquoi je n'aurais pas droit à des vacances comme les riches ! » Ce genre de réflexion blesse ceux qui vivent dans un milieu modeste : l'enfant tyran sait convaincre avec cet argument le plus souvent humiliant pour des personnes qui n'ont de cesse de « tout faire pour qu'ils ne manquent de rien ». « Vous comprenez, la vie n'est pas bien drôle au cours de l'année, je veille sur tout pour ne pas dépenser trop, alors si cela continue pour les vacances… »

➤ *Vers une tyrannie de la consommation*

Une fois de plus, le marketing international a bien ciblé cette jeunesse reine qui sait imposer ce qu'elle veut. Les publicités ne montrent en général que des adolescents affirmés, très extravertis, à l'aise dans leur corps et leurs idées, des « dominants », de futurs yuppies. Ils sont leaders et donc maîtres dans leurs familles, ils sont bien les décideurs des budgets de consommation pour l'alimentation, les vêtements, les loisirs.

Dans les milieux modestes, pour obtenir, l'enfant tyran compare (ce que font les autres), juge (vous êtes ringards dans tout), dénonce (vous n'aviez qu'à ne pas vous faire exploiter !), culpabilise (vous auriez pu faire autre chose de votre vie !), et enfin dénigre ses parents (votre vie est minable). Dans les milieux favorisés, pour obtenir, l'enfant tyran charme (cela me rendrait tellement heureux ! On fera des choses ensemble), promet (et puis l'an prochain je vais en mettre un coup à l'école), banalise (c'est pas pour ce que cela vous coûte), sait revendiquer son autonomie (prenez aussi du bon temps entre vous !). Et malheureusement, les stratégies des uns n'excluent pas les stratégies des autres : la flatterie, le chantage affectif, l'humiliation peuvent devenir ses armes favorites.

Une règle commune aux deux milieux, puisque l'enfant tyran ne connaît pas la barrière des classes sociales : il n'a rien fait pour obtenir ces « vacances-récompenses » ou cette consommation à outrance : pas de bons résultats scolaires, aucun argent gagné en effectuant des petits boulots domestiques ou hors maison et toujours la même exigence sur ce qui doit être bon pour lui (tel vêtement de marque, telle nourriture, tels clubs d'été, tels sports d'hiver ou tels séjours à l'étranger, etc.). L'autre (le parent) dans tout cela ? Il acquiert de nouveaux statuts après ceux de chauffeur de taxi, d'enseignant à domicile, d'animateur public de la petite enfance, celui d'agent de voyages et de banquier.

Il cause

➤ *Les rois du verbe*

Ils savent utiliser une nouvelle forme de pensée plus abstraite, formelle, pour reprendre la terminologie des spécialistes. Les adolescents adaptés oscillent entre une remise en cause bien naturelle de l'extérieur (le lieu de contrôle externe ou j'attribue la responsabilité de ce qui m'arrive à l'extérieur, à l'autre) et une tout aussi forte remise en cause de soi (le lieu de contrôle interne où j'attribue la responsabilité de ce qui m'arrive à moi-même). L'adolescent tyran, lui, n'aura de cesse de tenter de prouver à qui veut bien l'entendre qu'il ne doit jamais être remis en cause, contesté puisque sa pensée est une affirmation. Comme tous les petits dictateurs, il sait convaincre par des arguments forts. Une de ses stratégies est bien sûr celle du bouc émissaire. Rien ne va à l'école, c'est tel professeur incompétent qui les démotive, l'ambiance à la maison est détestable, c'est la fratrie ou tel parent qui est le détonateur. Il en arrive même à faire des analyses politiquement fines quant à l'exploitation de l'homme par l'homme. Je me souviens de cette patiente qui ne cessait de mettre sur un piédestal (comme s'il en avait besoin) son fils aîné. Elle était de condition modeste mais faisait tout pour qu'il réussisse dans ses études.

➤ *Les adultes sont des exploiteurs*

« Je ne prendrai pas de vacances cet été ! Mon fils m'a aidé à comprendre que derrière ses sourires, mon patron profitait de moi côté salaire ! » me confie-t-elle. Elle ne gagne pas des mille et des cents mais est loin d'un salaire de smicard. Je lui demande :

« Et votre fils, travaille-t-il un peu pour vous aider financièrement ? »

« Il travaille trois semaines l'été, c'est pour son argent de poche ! Et puis il a des bourses ! »

« Mais pour vous ? Vous aide-t-il financièrement, travaille-t-il pour vous ? Il pourrait être surveillant de collège ou de lycée, ils en manquent ! »

La question l'embarrasse, je n'irai pas plus loin ce jour-là, mais je l'ai bien souvent entendu parler de ce fils aîné qui utilise fréquemment sa voiture mais ne paie pas l'assurance, « juste l'essence » et qui doit provoquer un vieillissement précoce de l'engin par ses emprunts ; elle se plaint de régler des factures de plus en plus lourdes. Il a souvent réclamé l'achat d'un nouveau PC qu'il a obtenu, il lui fait dactylographier ses devoirs et va vite rejoindre sa copine « puisque tu n'as plus besoin de moi ! », etc. La dépression qui justifie la demande de prise en charge ne serait-elle pas liée à l'exploitation quotidienne de son enfant tyran qui l'aime sûrement mais sait aussi, derrière ses sourires en tirer un maximum de profit ? Pas de menace ni de violence à son domicile mais beaucoup d'amour, selon ses dires, même si les épanchements de tendresse précèdent toujours des demandes de consommation.

➤ *Un redoutable orateur*

Comme tous les tyrans, il est le roi de l'argumentation, il sait manœuvrer avec les mots et il profite du faible potentiel des autres et parfois même d'un des parents ou des parents tout court pour les avilir un peu plus. Que l'adulte tente de le responsabiliser ou tout du moins essaie de le remettre en cause s'il est pris dans ses dysfonctionnements ou ses transgressions, il sait utiliser des parades. Il en est de même s'il se heurte au refus d'une de ses exigences. Je reprends avec J. Peeters deux des stratégies les plus courantes : il sait faire des études comparatives : « Les autres, c'est encore pire ! » L'argumentation est simple : il dramatise pour faire peur et obtenir ce qui devient une banalité : « Tu sais, il y en a qui volent, qui se droguent, qui fuguent et moi je ne veux que dix euros pour sortir ! » Et puis pas question de le critiquer s'il a commis une bêtise, le comportement des autres est bien plus problématique : « Ils sont allés au commissariat… il est passé devant le juge ! » Ces argumentations sont des menaces à peine masquées : « Si tu ne cèdes pas, cela pourrait m'arriver ! » Cela devient une sorte de chantage à l'escalade.

Il existe aussi la stratégie dite du partage de la responsabilité : c'est le « tout le monde le fait » ! Le parent crédule, déjà conditionné par les médias dans « ce que tout ado pense, vit ou fait », va vite rentrer dans les comparaisons proposées et plaidera même pour lui si l'autre parent n'est pas dupe : « Son copain Émile sort tous les vendredis, on peut lui accorder un samedi ! », « Ils fument tous dans sa classe, il vaut mieux l'autoriser de temps en temps pour éviter qu'il le fasse en cachette ! », « Tu sais c'est à la mode, ils s'habillent tous pareils ! », « C'est une émission pour ados, ce n'est pas bien dangereux », « Ce genre de jeux, ils en pratiquent tous avec leur PC, ils ne sont pas plus violents pour autant ! »

Voilà comment tu dois penser, cher parent, c'est-à-dire ne plus penser du tout ! Les parents deviennent victimes de la propagande des médias (société de consommation oblige !) mais surtout de leur premier avocat à domicile : leur enfant tyran. Mais pourquoi cette même sollicitation médiatique et mercantile n'a-t-elle que très peu d'effet sur les autres adolescents ? Le cocktail société de consommation-enfant tyran rend ce dernier encore plus tyrannique alors que le mariage voulu société de consommation-adolescent adapté n'a que peu d'impact. Mais comme par hasard, dans ces familles non dominées par un enfant tyran, l'éducation reste prégnante avec certes le respect de la singularité de l'enfant, de sa richesse propre et de l'actualisation de son potentiel, mais aussi avec les exigences de réciprocité, de respect mutuel et d'acceptation du principe de réalité, mais ce sont sûrement des valeurs rigides !

Il séduit

L'enfant tyran sait utiliser tous les moyens pour obtenir ce qu'il veut, quand il veut, où il veut et avec qui il veut. Il est beaucoup plus subtil qu'on ne pourrait le croire : sa tyrannie n'est pas forcément visible, menaçante ou violente. Comme un vrai dictateur, il sait condamner ses boucs émissaires, imposer sa loi au quotidien, étouffer toute velléité de rébellion ou de partage du pouvoir mais il sait aussi manipuler, séduire ses aficionados. Beaucoup de parents confondent l'apparente tranquillité qui règne à la maison avec une « bonne ambiance ». L'adolescent tyran n'a pas forcément besoin du conflit, de la bagarre incessante pour faire sa loi, nous ne sommes plus dans les armes favorites de la petite enfance, les hurlements, les cris, les grosses colères ne sont plus la pratique courante sauf pour tuer dans l'œuf toute tentative de résistance. Mais, puisqu'il y a eu reddition depuis belle lurette, pourquoi plus de violence ? Il sait, nous l'avons déjà dit, se servir de stratégies fines. Après la prise de pouvoir du stade précédent, beaucoup vont savoir prolonger leur dictature en suscitant une collaboration active des parents.

➤ *Les copains d'abord*

S'il est juste de veiller à ne pas retomber dans les aberrations du régime de Vichy qui voulait renforcer la famille traditionnelle par ses lois radicales comme celle du 22 septembre 1942 qui redonne le pouvoir au « chef de famille », il est aussi utile d'observer à quel point beaucoup de pères sont devenus des copains de famille. Mais attention, ce n'est pas un rapport d'égalité ! Souvenons-nous que, jusque-là, dans sa quête incessante du pouvoir, l'enfant tyran a déjà beaucoup obtenu des parents : aide scolaire à domicile, partenariat contre l'école et ses enseignants, organisation des loisirs, prêts bancaires en tout genre, facilités de consommation et bien sûr nourri, blanchi. La manœuvre devient subtile : on parle ensemble, on fait du sport ensemble, on décide ensemble, on s'aime quoi ! Mais quand il faut affirmer une quelconque autorité suite à un dysfonctionnement, mauvais résultats scolaires, sorties exagérées, tenue, le copain père ou mère se voit rejeté sans détour et c'est l'incompréhension totale.

« Nous ne voulions pas d'un rapport de forces avec les enfants, nous savions trop ce qu'étaient les "parle pas à table !", "vous verrez ça plus tard, ça regarde les adultes". » Ce climat de confiance nous était indispensable. Nous avions pris l'habitude de beaucoup parler, d'échanger sur tous les sujets sans interdit ni tabou. Nous partagions les mêmes valeurs, notre goût pour la musique. Et puis tout a basculé avec l'adolescence ! Les résultats au lycée étaient catastrophiques et bientôt les fréquentations, le cannabis et tout ça, nous ne comprenons plus… »

Comment un parent-copain peut-il passer du partage du principe de plaisir au principe de réalité ? Car le plus souvent, ces parents ont, derrière cette pseudo-paix familiale, cédé chaque jour un peu plus d'autorité parce qu'ils ont éloigné un peu plus de frustrations de leur enfant. Pas d'inquiétude si l'enfant obtenait de bons résultats à l'école sans travailler, pas d'alarme s'il participait comme eux à toute une vie adulte, pas de soupçons quand la télévision, les loisirs, les amis dominaient son quotidien, pas d'étonnement quand il se faisait choyer sans jamais aider, proposer ou s'investir pour l'autre, pas de questionnement quand il ne parlait que de lui, de « sa » vie, de « ses » projets.

➤ *Soyez zen !*

Encore un dernier plaisir lorsque nous lisons la stratégie proposée par Patrick Delaroche pour ne pas entrer dans la contre-agressivité avec l'adolescent et pour au contraire mettre la distance émotionnelle voulue pour garder le contact : « C'est par exemple frapper à sa porte, lui donner de l'argent pour qu'il s'habille, ne pas lui parler de la petite copine… ne pas poser les questions incessantes sur le travail scolaire... » Bref, tout ce qu'Alexandre me proposait pour qu'il n'y ait plus d'histoires à la maison : « C'est simple, je veux qu'ils me lâchent, pas besoin de me rabâcher pour le bac de français, pas de question sur mes sorties et qu'ils me laissent un peu de tune, c'est tout ! » Tout un programme.

Pourtant, combien de fois ai-je vu des parents capituler, ne plus rien demander, ne plus questionner, encore moins exiger pour « garder la bonne relation que nous avons toujours eue ». « Ce n'est plus un enfant, nous le considérons désormais comme un adulte : il possède un compte en banque, gère ses fonds tout seul, s'organise pour les études, peut sortir plus souvent, il sera bientôt majeur, les relations sont moins tendues. » (Ils le « lâchent » comme dirait Alexandre.) Mais plus tard, rien ne va plus quand : « Vous savez, il n'a pas rempli son contrat : nous sommes obligés de combler les dettes sur son compte, je ne parle pas du téléphone portable, impossible de le raisonner pour les sorties et le lycée pas question d'en parler, il va droit au redoublement ! »

➤ *Test : êtes-vous séduit ?*

Dans le questionnaire de la page 171, vous comprendrez que j'ai arbitrairement qualifié de « collaboration » des réflexions qui me semblent adopter le point de vue classique d'un adolescent très revendicateur et beau parleur. Pour savoir si vous êtes vous-mêmes victimes de ce genre d'attitudes, il vous suffit de trouver des exemples au quotidien qui ne révèlent pas une décision ferme, un refus, une exigence de votre part mais, au contraire, une tentative de compromis, un acquiescement tacite à certaines revendications.

Quand vous dites…	Collaboration ?	Éducation ?
Après sa journée d'école, il peut se reposer un peu…	**Oui**	**Non**
Tu as eu comme moi une journée bien remplie mais aide-moi pour le dîner.	**Non**	**Oui**
Ils aiment bien écouter leur musique très fort à cet âge-là.	**Oui**	**Non**
Baisse ta musique, elle nous gêne, nous vivons ensemble !	**Non**	**Oui**
Les profs de ce lycée ne sont pas les meilleurs de la région !	**Oui**	**Non**
Je te demande surtout de travailler une partie de tes vacances !	**Non**	**Oui**
Il peut bien découcher à son âge, ils le font tous !	**Oui**	**Non**
Je te demande de rentrer à telle heure !	**Non**	**Oui**
On peut lui donner un peu plus d'argent de poche !	**Oui**	**Non**
Que peux-tu faire pour augmenter tes revenus ?	**Non**	**Oui**
Chez vous, cela se passe comment ?		

Il menace

➤ *Totalitarisme adolescent*

Et puis, l'adolescent tyran passe allègrement de l'égocentrisme à la tyrannie totale, toujours selon ce principe de l'accumulation : s'il n'est pas arrêté dans sa quête du plaisir immédiat, il en dépendra chaque jour un peu plus, et le refus de la réalité et donc des frustrations et des autres ira de pair. Il ne se bat plus pour obtenir mais maintient constamment la pression pour garder les acquis, il sait que c'est dans la terreur que le vaincu donne encore plus.

Je me rappelle cette famille, ces deux parents effondrés, annulés, qui tentaient de « renouer un dialogue » avec leur fille. Ils ne comprenaient pas les crises, les menaces de fugue, les hurlements, les chantages au suicide (ses « ne me poussez pas à bout ! » avaient provoqué notre rencontre). Elle avait tout mais ils ne pouvaient pas accepter qu'elle veuille découcher avec son copain (les parents de ce dernier voulaient bien les héberger), il y avait le bac cette année-là, elle allait à la catastrophe. Le père rentrait sa colère, son physique était épuisé ; la mère retombait dans ce qu'elle appelait « sa » dépression. Beaucoup à dire pour mes collègues systémiciens, mais je vous assure que notre « patient désigné » n'était pas que le symptôme des dysfonctionnements parentaux. Elle avait bien perçu la fragilité parentale et lorsque je reprenais le vécu, son « historique », chaque tentative de suicide ou chaque chantage sérieux correspondait toujours à une demande *a priori* non satisfaite : un changement d'école parce que la « seconde, ça n'allait plus », un chagrin d'amour « parce que mes parents ne l'acceptaient pas », et maintenant une demande de liberté « pour vivre ma vie avec mon copain ». Au « accordez-moi ça sinon je me tue ! », quel parent ne cèdet-il pas ? Et quand nous, les psy, alimentons l'enfant tyran par des diagnostics : « elle n'est pas bien dans sa peau, il lui faut une prise en charge thérapeutique », nous stimulons le cycle infernal des pseudos-rechutes dépressives. Et pourtant, quand l'apparente dépression se déclenche parce que l'enfant veut obtenir quelque chose et que cela résiste, est-ce vraiment un dégoût de la vie ?

Il fait souffrir

➤ *Il peut devenir violent*

Quand Grégoire me raconta sa stratégie pour avoir une chambre en ville, je fus complètement stupéfait :

« J'en avais marre de mon père. Il est nul, alors j'ai été voir une assistante sociale, un copain m'avait dit que ça marchait. Je lui ai dit que j'avais envie de tuer mes deux petites demi-sœurs, que j'allais craquer, refaire une tentative de suicide. Deux jours après, j'étais dans un foyer d'hébergement, enfin tranquille avec des éducs moins… que mon père ! »

Et ce travailleur social qui me confie que de plus en plus de jeunes adultes se voient pris en charge au titre de la protection des jeunes majeurs parce qu'ils ne veulent plus des contraintes familiales, ou parce que les parents ne supportent plus les exigences des enfants tyrans. Bien vite, c'est le juge des enfants qui se substitue à l'autorité parentale.

➤ *Le retour de l'enfant prodigue*

Émilie avait 15 ans à peine et déjà tout un vécu d'enfant tyran, adulée par ses parents, tout allait pour le mieux puisque aucune exigence ou frustration n'avait jamais existé au quotidien. À la rentrée scolaire, elle est folle amoureuse d'un jeune garçon majeur et veut découcher de plus en plus souvent. Les parents, étonnés de ces demandes de plus en plus insistantes, émettent un « non » catégorique : certains samedis soir peuvent être négociés mais pas la semaine, elle entre en classe de seconde ! Devant ce refus, Émilie et son concubin vont mettre en avant toutes sortes d'histoires scabreuses et bien sûr témoigner auprès des services sociaux. Devant certaines accusations, Émilie sera placée immédiatement dans un foyer, et non chez un proche parent, ce qui aurait été logique. Trois longues années pour les parents qui ne pourront pas la voir comme ils l'entendent. Et, pendant ce temps, nous apprenons qu'Émilie bénéficie rapidement de permissions spéciales pour retrouver le copain en semaine et bien entendu tout le week-end. Elle reviendra chez elle, sur sa simple demande, trois ans après, elle venait de rompre avec l'ami. Elle fut reçue comme il se doit, avec amour, sans reproche aucun, « il fallait bien oublier le passé ».

La crise d'adolescence, une crise d'adultes ?

Il y a déjà une trentaine d'années, cette hypothèse soulevait débat. J. Drévillon, mon directeur d'étude, l'avait acceptée comme originale. Il me semblait, à l'époque, que les adultes, dans leur quête incessante d'identité, avaient oublié leur rôle de modèles et donc d'éducateurs. Je crois toujours en cette hypothèse : l'absence d'identité adulte ne peut que majorer le doute et l'insécurité adolescente. La crise d'adolescence pour elle-même m'a toujours paru excessive, tant les interactions familiales, sociales restent abondantes. La crise d'adolescence demeure, selon moi, mythique dans ses excès de définition. En revanche, la crise de certains adolescents ou enfants tyrans adolescents apparaît désormais non seulement comme une problématique adulte mais plus précisément comme la conséquence de cette problématique avec sa marque d'une carence éducative : l'intolérance aux frustrations.

L'adolescent tyran ou le troisième stade de l'omnipotence infantile

À la crise classique de l'adolescence, au bouleversement pubertaire, à la quête incertaine de son identité, l'adolescent en crise substitue sa volonté de poursuivre sa recherche du plaisir immédiat. Tous les moyens sont bons pour éradiquer cette réalité frustrante et consommer encore plus. L'addiction est massive et les périodes de frustration (manque d'argent, absence de loisirs, sans parler des amours déçus ou des incontournables examens) entraîneront des demandes encore plus conséquentes avec leur cortège de « manques » encore plus exacerbés.

Nous sommes bien dans un principe d'escalade et d'accumulation. À une période de révolution, où tout déséquilibre stimule l'évolution, nous n'assistons qu'à une constante involution. Les parents de ces jeunes tyrans n'existent plus, ne résistent plus devant ce savant dosage de mots tyranniques, de chantage affectif ou de violence pure. J'ai décrit l'exaspération des comportements des enfants tyrans, vous avez compris qu'une passivité parentale ne fait qu'amplifier le développement de l'omnipotence à chaque stade important de la vie mais aussi au quotidien. Il est temps de proposer d'autres hypothèses de travail et des hypothèses éducatives.

TROISIÈME PARTIE

Retrouver la bonne autorité

CHAPITRE 8

D'abord comprendre

« Oui je le soutiens : pour sentir les grands biens, il faut qu'il connaisse les petits maux. »

Jean-Jacques ROUSSEAU, *Émile ou De l'éducation.*

Apprendre la frustration pour apprendre la vie

Un peu de théorie ne fait jamais de mal. Le pragmatisme est souvent soupçonné dans notre culture d'une vague teinte empiriste et utilitariste anglo-saxonne, ce qu'il faut traduire par une faiblesse côté intellectualisation, conceptualisation, bref le pragmatisme serait un raisonnement creux parce que peu complexe. Ma pratique professionnelle m'a bien sûr orienté dans mes hypothèses de travail mais, bien en amont de mon intérêt pour les approches cognitives, j'ai toujours été sensible à la psychologie du développement conceptualisée par l'épistémologie génétique (étude des sciences du développement humain). Il me paraît donc essentiel de reprendre les hypothèses de certains psychologues qui ont toujours intégré la dimension éducative, la médiation pour employer leur terminologie, dans leurs théories : Piaget, Bruner, Vygotsky, Kohlberg, Feuerstein.

Je ne vais évoquer que le développement « moral », l'intégration progressive du principe de réalité, bases incontournables pour l'équilibration psychique de l'enfant, de l'adolescent et de l'adulte.

➤ *Qui aime bien frustre bien*

S'il est utile de faire le contrepoids des philosophies éducatives ou psychologiques très permissives dans leur volonté de tout donner pour l'enfant, il est bon de rappeler qu'il faut un équilibre entre respect de l'enfant, actualisation de son potentiel et de son identité avec les inévitables expériences de frustrations. Bref, sans amour, tout ce qui suit n'a aucune valeur.

Certaines générations, pour qui l'enfant n'était qu'un objet encombrant et peu rentable, ont déjà donné dans cette méfiance, cette négligence, ce désamour du plus faible. Éduquer c'est certes frustrer, mais c'est surtout aussi aimer, cela va sans dire. Et si les citations de Jean-Jacques Rousseau corroborent certaines opinions sur son manque d'amour pour les enfants (il a abandonné les siens !), il faut se replonger dans ses écrits pour saisir à quel point il prône l'autorité non pour avilir mais pour construire, l'éducation et l'amour ne faisant naturellement qu'un.

Je me méfie toujours également des gentils parents qui ne frustrent jamais leurs enfants : j'y vois souvent une relation autogratifiante (pas touche à « Mon » petit à moi !) et le plus souvent rejetante (« si c'est ça avoir un enfant !).

➤ *L'adulte est un médiateur entre l'enfant et la réalité*

Vygotsky[1] a toujours insisté sur l'importance des situations d'échanges, des interactions entre l'adulte et l'enfant.

---

1. Schneuwly B., Bronckart J. P., *Vygotsky aujourd'hui*, Lausanne, Delachaux et Nietslé, 1985.

Pour lui, la médiation de l'environnement par l'adulte est indispensable pour pallier l'immaturité de l'enfant. L'actualisation du potentiel cognitif, affectif et social de l'enfant est favorisée par la médiation de l'adulte. Bruner attire l'attention sur « le rôle spécifique de ces échanges qui mettent en scène des interactions d'étayage et amènent l'enfant à agir, à signifier, à réguler des situations complexes, qui anticipent son développement maturationnel[2] ». Chez Bruner, le « format » est essentiel : avec la médiation, il y a nécessité d'encadrer, de donner des repères d'actions à l'enfant pour qu'il dépasse son niveau actuel. « Formater », c'est provoquer des interactions pour que l'enfant développe son potentiel.

Lorsqu'il y a médiation correcte, l'adulte est une sorte de filtre entre l'individu et l'environnement, il le protège, le sollicite, l'interroge mais aussi le corrige, le freine, le contredit, le frustre. Il agit effectivement comme un « sas » entre ce qu'il faut prendre, ce qu'il faut délaisser, ce qu'il faut organiser, ce qu'il faut catégoriser, ce qu'il faut remarquer, ce qu'il faut éliminer et ce qu'il faut accepter. En l'absence de médiation adéquate entre l'individu et l'environnement, il y a non seulement déprivation culturelle (cette notion reprise par Feuerstein est employée dans le sens de « carence » puisque l'anglais *to deprive* signifie « manque de ») mais aussi majoration de l'intolérance aux frustrations. L'œuvre d'Henri Wallon souligne également cette dimension sociale, interactionnelle fondamentale[3]. Il y a bien l'influence majeure de l'environnement car « scinder l'homme de la société, c'est lui décortiquer le cerveau[4] ». D'où le rôle du médiateur : « L'éducateur a pour fonction normale d'y être attentif et d'éveiller chez l'enfant le désir de réaliser toutes ses potentialités

---

2. J. Bruner, *Le Développement de l'enfant, savoir faire, savoir dire*, Paris, PUF, 1983.
3. H. Wallon, *Les Origines du caractère chez l'enfant*, Paris, PUF, 1949.
4. Malrieu, *Hommage à Henri Wallon*, Presses universitaires du Mirail, 1987.

physiologiques dans les cadres offerts par la société, c'est-à-dire dans le cadre de la réalité tout court. L'éducation s'inscrit bien dans ce "constructivisme"[5]. »

➤ *Comment l'enfant intègre le jugement moral*

Qu'est-ce que le jugement moral ?

J'entends par jugement moral la capacité que possède l'humain de mieux accepter la réalité avec les devoirs et les interdits qu'elle suppose pour une vie sociale adéquate. Agir « moralement », c'est savoir harmoniser sa spécificité propre avec les exigences de l'environnement, ce que j'appelle le lien soi-autrui.

Ce lien soi-autrui ne s'acquiert qu'au cours du temps. Il semblerait que l'enfant tyran n'ait pas intégré les différentes phases du développement du jugement moral, qu'il se soit arrêté à certains stades. Selon Jean Piaget[6], l'enfant n'est tout d'abord qu'un immature moral. L'auteur nous décrit cette « loi contrainte » profondément liée à l'égocentrisme du petit enfant qui ne respecte l'interdit que parce qu'il est l'interdit. C'est l'époque du réalisme moral, un conformisme moral aveugle où la lettre de la règle compte plus que l'esprit.

La « loi sociale » où dominent la coopération, le respect mutuel n'apparaît que vers 10-11 ans. Elle est vécue progressivement à travers le jeu et les activités de la société d'enfants, véritable banc d'essai d'une future morale intériorisée. Dès lors, se crée « une morale de la réciprocité et non de l'obéissance. C'est la vraie morale de l'intention et de la responsabilité subjective ».

Pour Piaget, l'environnement est le processus qui mène aux deux morales : « Le premier de ces processus est la

5. *Ibid.*
6. J. Piaget, *Le Jugement moral chez l'enfant*, Paris, PUF, 1939.

contrainte morale de l'adulte, contrainte qui aboutit à l'hétéronomie et par conséquent au réalisme moral. Le second est la coopération qui aboutit à l'autonomie. Entre deux, on peut discerner une phase d'intériorisation et de généralisation des règles et des consignes. » Ce sont les règles parentales et les activités éducatives au sens large qui vont stimuler l'enfant à reconnaître peu à peu la socialisation.

Mais comment faire pour que l'enfant intègre peu à peu ce jugement moral ?

Psychologue, professeur à Harvard, Laurence Kohlberg[7], après de longues recherches sur les enfants et les adultes, émet l'hypothèse que le développement moral se fait par étapes, progressivement, quelle que soit l'origine sociale, culturelle ou ethnique, quel que soit le pays d'origine. Le « caractère moral » n'est bien entendu pas inné.

Le premier stade : le tout-petit

Au premier stade, le tout-petit n'est mobilisé que par son « Moi », l'autre n'existe que pour la satisfaction de ses besoins. Mais il craint aussi la puissance de ce dernier en termes de punitions et de conséquences physiques fâcheuses. À ce stade, le jugement moral, l'obéissance ne sont liés qu'à la crainte de la sanction. L'interdit, les frustrations ne sont le plus souvent intégrés que par la manifestation de cette autorité adulte. Pas question de violence, de gifles à répétition, de brimades (enfermement dans un coin sombre) parce que l'enfant désobéit, mais il est nécessaire d'affirmer une autorité physique : emmener l'enfant dont la colère est disproportionnée dans une pièce à part pour le faire souffler, se mettre en retrait du groupe de vie. Tenir fermement le bras de l'enfant, marcher vers lui, le

7. L Kohlberg., « The cognitive developmental approach to moral development », *Phi Delata Kappan*, 56, n° 10, 1975, p. 671.

regarder droit dans les yeux, utiliser le langage non verbal pour l'enfant qui « pique une crise ».

A contrario, ne pas manifester cette autorité physique, cette présence adulte qui signe son désaccord fermement mais sans violence aucune peut être vécu comme de la faiblesse, comme une absence d'autorité et tracer la voie royale vers le « je peux faire ce que je veux puisque l'autre n'existe pas » (ou n'existe que pour mon bon vouloir). Souvenons-nous, les subterfuges qu'inventent certains parents pour calmer les actes tyranniques de leurs tout-petits : balade en voiture, histoires au lit, alimentation, etc. !

Le deuxième stade : entre 2 et 9 ans

Au deuxième stade, entre 2-3 ans et 8-9 ans, l'enfant ne considère toujours autrui que pour satisfaire ses propres besoins mais il utilise désormais des stratégies. L'autre, le parent en général, fait moins peur « physiquement » et peut être manipulé dans le sens de son principe de plaisir. Il ne pense pas aux besoins de l'autre, à sa propre existence, l'autre n'est toujours là que pour sa satisfaction personnelle.

Et puis l'enfant sait parler ! Il est donc important pour le parent ou l'éducateur de rappeler, quelquefois fermement, que tout n'est pas possible tout le temps : intervenir pour redonner un jouet « emprunté » au petit copain plus timoré et non « laissez faire les enfants, ils se régulent entre eux, c'est ça la socialisation » (du plus fort !). Bien signifier à l'enfant que chacune de ses demandes implique constamment l'autre et savoir refuser pour marquer sa présence. « Tu ne peux pas tout faire, tout avoir, nous existons. » Et savoir refuser avant tout les exigences omnipotentes tels les achats à la demande, les repas à la carte, les animations parentales constantes. Il faut aussi ne pas hésiter à retirer certains privilèges « matériels » quand rien ne va plus puisque c'est précisément le stade du « je veux obtenir ». Retirer un jouet, supprimer un loisir ou une activité sont plus symboliques, à cet âge, pour signifier « tu ne peux tout obtenir et la réalité reprend le dessus quand tu débordes » que les longs discours sur la réciprocité dans l'amour familial. À éviter aussi, les privations alimentaires et surtout les éternelles remarques négatives et chargées d'émotions parentales, particulièrement inefficaces, sur « ce qu'il devrait être ».

Les troisième et quatrième stades : 9-15 ans

Aux troisième et quatrième stades, entre approximativement 9 et 15 ans, la relation n'est plus à sens unique, l'enfant agit au regard des normes de ses groupes de vie, autrui existe. La motivation est d'être accepté par les autres, de s'inscrire dans une relation collective, d'abandonner un peu de soi pour mieux se socialiser. Ce rapport à l'autre primaire deviendra plus tard un rapport à la société en général. L'égocentrisme des deux premiers stades cède le pas à l'empathie, à l'altruisme. S'il se conduit d'abord pour ne pas déplaire à l'autre, il intégrera progressivement une morale de vie parce qu'elle est juste, non parce qu'elle peut avoir des conséquences négatives, matérielles ou relationnelles.

Les cinquième et sixième stades : 15 ans et plus

Aux cinquième et sixième stades, vers 15 ans et plus, l'adolescent ou le jeune adulte comprend et vit les lois et principes éthiques comme autant de moyens pour réguler ses propres aspirations avec l'existence des autres, pour préserver le lien social, le rapport soi-autrui.

Mais ces derniers stades ne sont que la synthèse évolutive des quatre précédents. Le rapport soi-autrui ne peut émerger si l'enfant n'a pas développé auparavant ce qui a été décrit : présence physique de l'autre pour appréhender son existence et parfois se contraindre (je ne suis pas tout seul au monde) ;

reconnaître qu'autrui ne vit pas que pour soi, accepter de se frustrer pour l'autre, se socialiser enfin. Il est donc absurde de tenter d'éduquer un enfant sans tenir compte de ces paramètres.

Or nous assistons surtout à des tentatives parentales anachroniques : c'est par le langage que tout doit se réguler, que l'enfant soit nourrisson, scolarisé en primaire ou préadolescent, les mots l'emportent constamment sur les faits : « Tu pourrais faire plaisir à maman » pour le tout-petit jusqu'au « Respecte-nous » pour le jeune adulte.

Chaque stade est incontournable et il faut passer par chacun d'eux, chronologiquement, pour accéder à la progressive socialisation. En clair, le tout-petit a besoin de fermeté, d'interdits automatiques devant des aberrations de comportements ; s'il continue ensuite de dépasser les bornes, les parents doivent le pénaliser, le sanctionner matériellement dans un premier temps. C'est plus tard seulement que l'on peut échanger, parler, utiliser le langage, quand il nous faut accepter la remise en cause de nos propres valeurs morales. Mais c'est morale contre morale et non « son » principe de plaisir contre « notre » principe de réalité. Combien de fois ai-je dû conseiller aux parents de ne plus « causer » mais d'exiger et de sanctionner devant les demandes omnipotentes de leurs enfants, qu'ils soient adolescents ou non. Comme s'il fallait à tout prix repasser par l'autorité pour l'autorité, la sanction ou la gratification si l'autre est méprisé pour éventuellement élargir le sens moral. Derrière la frustration, c'est le respect d'autrui qui est en jeu. Bref, renouer avec le développement moral de Kohlberg. Quand j'exclus le langage, je ne demande pas à supprimer toute relation purement humaine. Le langage est indissociable de l'homme, il doit être l'outil constant mais pas le seul moyen d'éduquer quand on est confronté à un enfant omnipotent.

« L'homme sage sait rester à sa place, mais l'enfant, qui ne connaît pas la sienne, ne saurait s'y maintenir… c'est à ceux qui le gouvernent à l'y retenir, et cette tâche n'est pas facile. Il ne doit être ni bête ni homme, mais l'enfant ; il faut qu'il sente sa faiblesse et non qu'il en souffre ; il faut qu'il dépende et non qu'il obéisse ; il faut qu'il demande et non qu'il commande[8]. »

Comment l'enfant en arrive à ne pas tolérer la frustration

Et à l'inverse ?

Il est possible de faire l'hypothèse que si le développement du jugement moral, de la socialisation, ne se construit pas chronologiquement, c'est le développement de l'omnipotence et de l'intolérance à la frustration qui prendra le pas. Ainsi, le tout petit enfant qui n'est jamais stoppé dans ses débordements mais, au contraire, constamment gratifié, apprend qu'il est possible d'avoir ce que l'on veut dans ce nouveau monde peu différent du paradis fœtal. Le jeune enfant qui impose ses caprices, exige des adultes et obtient en crescendo développe son sentiment de toute-puissance : la réalité ne me refuse rien, les autres ont même peur de moi. Et à l'adolescence, cela devient : je dois continuer à alimenter mon principe de plaisir puisque la réalité et les autres se révèlent moins dociles que je ne le croyais.

➤ *Les stades du développement de l'intolérance aux frustrations chez l'enfant tyran*

Le stade 1 : « Sa majesté des couches » : l'autre n'est là que pour moi !

De 0 à 2 ou 3 ans, « Sa majesté des couches » n'a rencontré aucune opposition, aucune frustration mais un maternage excessif.

---

8. Jean-Jacques Rousseau, *op. cit.*

Le stade 2 : « L'enfant castrateur » : je menace, je séduis, je manipule les autres pour obtenir ce que je veux !

Entre 3 et 12-13 ans, la permissivité éducative supplée le maternage et l'enfant rejette toute règle frustrante ainsi que ceux qui l'initient. Je n'aimerai que si l'on me fait plaisir. Les parents tentent de regagner de l'autorité par les gratifications et l'absence de frustrations. Le verbe est roi.

Le stade 3 : « L'adolescent en crise » :
je refuse toute nouvelle contrainte, j'annule les adultes, les autres en général, je peux les faire souffrir

Dès 14 ou 15 ans, il n'attend plus que la reddition ou la collaboration des adultes. Les armes ne sont plus les colères et les cris mais elles deviennent affectives : les chantages voire le développement de certaines pathologies. Les parents tentent de vaines résistances, par le verbe le plus souvent, mais abandonnent devant les nouveaux symptômes ou passages à l'acte. L'adolescent rencontre encore moins de frustrations qu'aux stades précédents puisque maintenant il fait peur.

Que faire ?

Il nous faut donc être très vigilants quand il s'agit de répondre aux débordements, aux demandes intempestives ou autres dysfonctionnements de nos enfants. Nos réponses, nos exigences et éventuellement nos sanctions doivent être adaptées à leur âge. Les exemples ci-dessous concernent des enfants tyrans pour qui les transgressions s'inscrivent quotidiennement dans le processus d'escalade précédemment décrit.

➤ *Soyez réalistes dans vos interventions éducatives*

Votre enfant fait	Son « stade »	Vous faites	Conséquences
Un bébé continue de pleurer, il a été alimenté, câliné, pas de fièvre.	Moins d'un an, c'est l'époque où il a besoin de l'interdit pour l'interdit, d'une autorité physique plus forte que lui.	Vous continuez de le cajoler, lui redonnez à manger, tentez de le distraire. Vous l'emmenez dans sa chambre et n'intervenez plus pendant quelque temps, même s'il poursuit les pleurs.	Il ne quête pas forcément du relationnel, il cherche une réponse « physique ». Vous risquez de le renforcer dans ses demandes. Vous venez de lui apprendre qu'il existe des limites, il ne vit pas tout seul
Un enfant de 9 ans en colère casse son jouet favori.	C'est le stade 2 de Kohlberg. L'enfant n'attend que de savoir « combien ça coûte », il veut connaître les conséquences matérielles de ses passages à l'acte.	Vous réparez l'objet cassé ou le remplacerez par un nouvel achat. Vous lui signifiez votre désaccord et demandez un petit service pour rembourser la casse.	Outre le bénéfice secondaire d'obtenir autre chose à court terme, il vient d'apprendre que ses actes déviants ne sont pas pénalisés. Il vient d'apprendre que chaque acte déviant entraîne d'autres frustrations.

Il est élève de sixième, ne travaille pas à l'école, se bagarre constamment avec les autres élèves. *Et chez vous, cela se passe comment ?*	C'est le stade 3, il pourrait comprendre que l'école est avant tout un lieu d'échanges et de socialisation.	Vous n'êtes pas d'accord mais vous finissez par le changer d'établissement parce qu'il y rencontre trop de problèmes. Vous lui interdisez certaines sorties et certains privilèges.	Il vient d'apprendre que c'est lui qui a raison : rien ne doit heurter son principe de plaisir et surtout pas les autres. Il apprend que tout processus de socialisation implique la frustration et qu'on ne peut pas être social quelque part tout en étant asocial ailleurs.

➤ *L'acquisition du jugement moral est-elle suffisante pour ne pas devenir un enfant tyran ?*

Cette acquisition est nécessaire, elle n'est pas innée mais résulte d'une éducation non permissive, très présente. Il ne suffit pas de refuser les demandes exacerbées du tout-petit ou de l'enfant. Le stopper dans ses exigences démesurées est une étape mais il faut conjointement lui apprendre à accepter la frustration. En fait, si l'enfant réclame démesurément des choses, c'est qu'il a déjà développé une certaine intolérance à la frustration. Le parent se doit donc d'inclure cette réalité frustrante au quotidien pour mieux le préparer ensuite à l'acceptation des inévitables contraintes de la vie.

« Observez la nature, et suivez la route qu'elle vous trace. Elle exerce continuellement les enfants : elle endurcit leur tempérament par des épreuves de toute espèce ; elle leur apprend de bonne heure ce que c'est que peine et douleur[9]. »

Il ne s'agit pas de faire souffrir l'enfant pour qu'il jouisse pleinement ensuite de la douceur de ne plus avoir mal, mais il lui faut apprendre à différer sa demande de plaisir immédiat qui, elle, est irrationnelle parce qu'impossible sans annuler l'existence d'autrui et la réalité tout court.

➤ *La loi de la frustration ou l'hédonisme à moyen et long terme*

Il n'est pas question de se faire mal ou de faire mal à l'enfant mais de lui apprendre que s'habituer aux gratifications immédiates est un leurre : à moyen et à long terme, elles ne procurent plus de satisfaction et elles développent une plus grande fragilisation devant la moindre frustration future. D'où cette « loi de la frustration » qui me paraît des plus réalistes dans ses tenants et aboutissants :

La flèche représente le « temps » divisé en deux séquences, un temps 1 ou **T1,** temps « immédiat », très court (le temps de la demande à satisfaire immédiatement ou à refuser) et une séquence **T2** ou temps différé, un temps beaucoup plus long (il suit le temps de refus ou de satisfaction immédiate avec bien sûr ses conséquences) :

	conséquence à court terme **T1** **plaisir + ou – déplaisir**	**conséquence à long terme** **T2** **plaisir + ou – déplaisir**
situation	============]	========================▶

9. Jean-Jacques Rousseau, *ibid.*

Dans T1, le signe « + » traduit une recherche immédiate de plaisir ou un refus de la contrainte. Le signe « – » reflète une acceptation d'un temps frustrant avec objectif de plaisir à moyen ou long terme. Dans T2, le signe « – » marque la probable conséquence d'un désir de gratification immédiate : l'augmentation des frustrations et des contraintes que l'on voulait éviter au départ. Par contre, le signe « + » reflète les possibles satisfactions ou plaisirs qui suivent le plus souvent l'acceptation immédiate de la frustration.

Un refus de frustration immédiate

L'enfant veut regarder la télé aussitôt après le goûter, les parents laissent faire. L'enfant est satisfait, il prend son plaisir immédiat.	L'enfant s'habitue à enchaîner les plaisirs, veut plus de satisfactions pour le prochain repas, exige que l'on joue avec lui avant le coucher, veut une histoire au lit, refuse de s'endormir et finalement est rejeté par des parents à bout de nerfs ! Sur le long terme, il baisse son seuil de tolérance aux frustrations puisqu'il tente d'en empêcher coûte que coûte l'apparition. Tout « non-plaisir » devient insupportable.

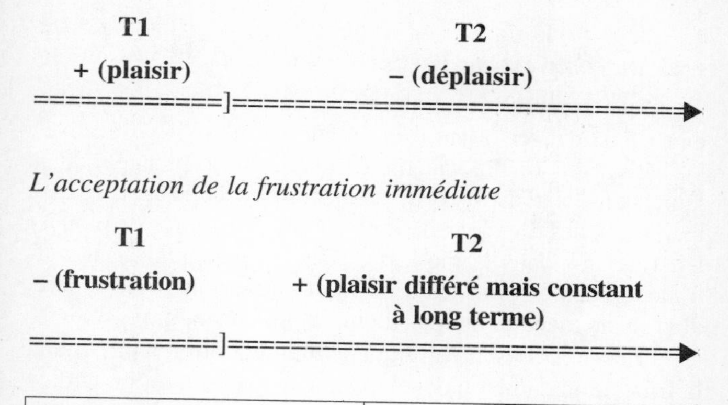

L'enfant veut manger avant le dîner. Les parents refusent et lui demandent d'attendre. Il a faim, pleure, « souffre ».	Il apprécie d'autant plus le repas proposé. Outre l'apprentissage du « on n'obtient pas forcément ce que l'on veut immédiatement, on peut différer ses plaisirs », il découvre le plaisir ou l'hédonisme à moyen terme : avoir attendu. Le repas a décuplé son désir et donc sa satisfaction.

➤ *Du mythe de Thétis…*

Lorsque Zeus décida d'unir la déesse Thétis à Pélée, il désirait punir celle qu'il aurait aimé épouser. Lorsqu'il décide que Thétis se marie à un mortel, il sait que ses enfants ne seront jamais des dieux. Thétis donne naissance à un fils, Achille et veut le rendre immortel. Pour cela, elle le place dans le feu pendant la nuit et l'oint d'ambroisie le jour. On dit aussi que Thétis trempa le bébé dans l'eau du Styx pour le rendre invulnérable mais que le talon par lequel elle le tenait ne toucha pas l'eau et resta vulnérable, d'où l'origine du talon d'Achille.

➤ ... *au complexe de Thétis*

Jean-Jacques Rousseau évoque ce mythe pour nous alarmer sur le danger d'une trop grande permissivité éducative : « Thétis, pour rendre son fils invulnérable, le plongea, dit la fable, dans l'eau du Styx. Cette allégorie est belle et claire. Les mères cruelles dont je parle font autrement ; à force de plonger leurs enfants dans la mollesse, elles les préparent à la souffrance ; elles ouvrent leurs pores aux maux de toute espèce, dont ils ne manqueront pas d'être la proie étant grands[10]. »

J'oserais presque dire que tout enfant qui n'a pas connu la frustration dans son développement souffrira tôt ou tard de cette terrible fragilité qu'est l'intolérance aux frustrations. À force de ne connaître que la satisfaction de son principe de plaisir, la réalité lui paraît trop dure, constamment douloureuse parce qu'impossible à gérer dans ses moindres difficultés. Initialement simple déséquilibre entre le principe de réalité et le principe de plaisir, il devient plus tard véritable pathologie du réel.

➤ *Le lien soi autrui*

L'acceptation de la frustration n'est pas seulement indispensable pour acquérir une future solidité devant les aléas de la vie, elle est aussi incontournable pour développer un jugement moral, nous l'avons vu, et reconnaître par là le lien soi autrui.

J.-M. Gaillard le précise : « Le couple et la filiation sont donc les deux éléments constitutifs de la famille contemporaine. Leur point commun est la promotion de l'individu,

---

10. Jean-Jacques Rousseau, *ibid.*

donc du “je”, caractéristique de nos sociétés occidentales mais d’un “je” qui ne peut se concevoir sans un “nous”, et ce “nous”, c’est la tribu familiale, groupe qui articule des liens multiples : ceux du couple, ceux de la filiation, ceux de la parenté [11]. » L’humain ne saurait vivre sans cette acceptation-là puisque c’est précisément ce qui fait sa spécificité d’animal social. Stoppons nos enfants tyrans dans leur quête démesurée et irréaliste du plaisir immédiat. Cet arrêt est salutaire parce que réaliste, il ne répond pas à une quelconque morale judéo-chrétienne mais à une exigence éducative absolue : apprendre la réalité humaine à son enfant. « Le monde réel a ses bornes, le monde imaginaire est infini ; ne pouvant élargir l’un, rétrécissons l’autre ; car c’est de leur différence que naissent toutes les peines qui nous rendent vraiment malheureux. »

➤ *Les parents intolérants aux frustrations*

Il faut être très vigilant et disputer sans cesse certaines valeurs actuelles et notre propension à refuser la frustration !

« Ne te frustre pas, consomme ! » « Sois fort ! » « Il faut être battant » : l’extraversion et l’égocentrisme priment. « Il est bien dans sa peau » : moi, moi, moi, mais il est bien le seul !

Parents, si vous saviez ! Frustrer c’est s’affirmer, ne plus faire appel à l’agressivité pour tenter provisoirement quelque reprise de pouvoir par l’émotionnel, ce n’est pas non plus la passivité, ce vécu d’impuissance que nous fait vivre la reddition ou la collaboration.

---

11. J.-M. Gaillard, *La Famille en miettes*, Paris, Sand, 2001.

➤ *Savoir frustrer, du bon sens ?*

Une journaliste me questionne à propos du rattrapage pendant les vacances scolaires, quand les bulletins des élèves n'ont pas été très fameux. Je lui réponds :

J'ai souvent constaté, et c'est vrai aussi pour l'école, que dès qu'un enfant ou adolescent « crise », il y a souvent derrière la pathologie apparente (farniente, démotivation, voire phobie scolaire) une constante développementale : l'absence de contraintes, une permissivité parentale, une relation non conflictuelle des adultes. En fait, l'enfant vit son bon plaisir immédiat, qu'il soit affectif — « on m'aime ! » —, matériel — « je consomme ! » —, ou social — « c'est mon droit ! »

Je crois que l'équilibre psychique est lié à un vécu réaliste où la frustration et donc l'autorité parentale ne sont pas exclues (l'autoritarisme est lui exclu). Dans mon hypothèse, certaines pathologies infantiles pourraient être la conséquence directe d'une sorte de « frustration de frustrations ! » et non celle d'une « frustration affective ou sociale ».

Pour répondre à la question initiale du travail en vacances, il y a fort à parier que moins l'enfant possède d'habitudes de contraintes scolaires (rythmes quotidiens, contrôle et conséquences parentaux), moins il accepte la contrainte de l'école en général. L'apprentissage est avant tout frustration dans un temps « un » et plaisir dans un temps « deux », l'enfant sans contraintes ne peut que majorer sa souffrance dans des pseudo-dépressions liées à sa fragilité devant la réalité. D'où toutes les stratégies qu'il emploie pour éviter les décisions de rattrapage. Pourtant, si les parents cèdent (« les vacances, c'est pour se ressourcer ! »), l'enfant tyran, qui n'a que peu travaillé pendant un trimestre, peut se voir proposer de nouvelles gratifications. Derrière ces vacances totales pour souffler, se reposer et se remotiver, je vois surtout un renforcement négatif : « Mon intolérance aux frustrations me donne un nouveau plaisir mais m'affaiblit encore plus devant le principe de réalité. » À la question : faut-il qu'un élève moins performant travaille pour rattraper pendant ses vacances scolaires, la réponse est bien évidemment oui ! N'est-ce que du bon sens ?

➤ *Vers un nouveau complexe ?*

Quand j'évoque le complexe de Thétis, je ne tente pas d'alourdir les essais ou les dictionnaires de psychopathologie. L'objectif est surtout de nous alarmer sur un incontournable de l'éducation : intégrer la frustration, et non la douleur, dans le quotidien de l'enfant pour l'habituer peu à peu à accepter le principe de réalité. Supprimer les souffrances physiques par le confort et les soins est un progrès incontestable pour le petit homme qui n'était autrefois qu'en survie. Reconnaître l'enfant à part entière, l'aimer pour lui, le combler affectivement est indispensable à la construction de son identité propre et le sécurise pour qu'il vive mieux son environnement. Mais, si l'enfant ne reçoit que du bien-être, de l'amour, il s'inscrit dans le cycle infernal du « toujours plus ! », du principe de plaisir. Il nous faut réintroduire le déplaisir dans son quotidien pour qu'il s'accommode non seulement à une réalité pas toujours positive mais pour qu'il accepte aussi autrui. Savoir attendre, s'ennuyer, différer, savoir aider, respecter, savoir s'efforcer et se contraindre pour un résultat sont autant d'atouts pour la construction d'une véritable identité humaine.

CHAPITRE 9

Ne réagissez pas avec vos émotions

« Beaucoup d'émotions, pas de punition ! »

Nous l'avons compris, l'absence de frustrations, de règles contraignantes au quotidien conduit le plus souvent l'enfant tyran à des comportements de plus en plus omnipotents. L'impunité, l'absence de conséquences devant certains passages à l'acte exacerbent les comportements tyranniques. Nous le savons, nous réussissons parfois à rétablir un certain nombre de règles et d'exigences pour redonner un cadre de vie à l'enfant mais, lorsqu'il transgresse, la réponse peut devenir émotionnelle et donc, par définition, inefficace.

➤ *Pas de punition*

Pierre, 12 ans, élève de cinquième, arrive tout penaud à la consultation, nous sommes en début de deuxième trimestre à l'heure du bulletin scolaire à « mi-parcours ». De gros efforts avaient été faits au premier trimestre, nous assistons à la rechute d'un élève à la motivation scolaire fragile.

Le thérapeute. – J'ai l'impression que c'est pas terrible !

Pierre. – Plus que pas terrible !

Le thérapeute. – Tu as relâché ce dernier mois ?

Pierre. – Après les vacances de Noël, c'était dur…

Le thérapeute. – Et chez toi, c'était comment ?

Pierre. – Je me suis fait eng… ma mère parlait fort… mon père se mordait les lèvres…

Le thérapeute. – Je suppose qu'ils ont repris l'artillerie lourde, les heures de rattrapage, pas de télévision, plus d'argent de poche…

Pierre. – Non, rien du tout !

Le thérapeute. – Mais alors ?

Pierre. – Beaucoup d'émotions… pas de punitions !

Combien de fois ai-je entendu ces réponses en demandant aux parents quelles conséquences ils ont donné aux mauvais résultats scolaires (quand ils ne sont visiblement liés à aucun autre problème qu'à un manque de travail), aux désobéissances répétées, aux attitudes provocatrices : « On l'a sermonné ! », « Il en a pris pour son compte ! », « Je lui ai rappelé qui commandait chez nous ! », « Je lui ai parlé de sa sœur qui obéit, elle, il n'était pas fier ! », « Je l'ai traité de petit pervers, il ne savait plus où se mettre ! ». Mais de réelles sanctions, je n'en entends jamais parler. Et pourtant, l'enfant aime à réparer ses dysfonctionnements, car il sait bien que la sanction répond à un comportement déviant et non à son entière personnalité alors que certaines remarques, certains jugements ou qualificatifs parentaux le renforcent dans son idée que c'est bien lui qui est déviant, méchant, mauvais objet.

De l'impuissance à la violence…

M. Martin me dit que son fils ne cesse de le pousser dans ses derniers retranchements.

M. Martin. – Il me met à bout, et parfois j'ai la gifle facile, je sais bien, c'est pas à faire ! Mais j'ai l'impression qu'il n'y a que comme cela que je peux l'arrêter… mais c'est pas une solution.

Le thérapeute. – Surtout que ce genre d'enfant risque de vous faire augmenter votre violence…

M. Martin. – Je l'ai bien vu… une paire de gifles, puis des insultes… et son regard qui m'en veut… Je serais capable de le tuer…

Le thérapeute. – Pour ?

M. Martin. – Une histoire de leçon pas apprise ! Je deviens fou…

Le thérapeute. – Son comportement vous rend fou. Essayons de voir s'il y a d'autres réponses que la violence. Lui supprimez-vous des petits acquis lorsqu'il désobéit ?

M. Martin. – Je n'ai jamais voulu de ce genre de chantage chez moi, j'ai toujours voulu d'un rapport de confiance entre mon fils et moi ; d'ailleurs, il a un poste de télévision-magnétoscope dans sa chambre et je sais qu'il n'en profite pas !

… Et à l'épuisement

Madame S., elle, n'en peut plus d'aider son adolescent de fils à préparer l'épreuve de français du baccalauréat.

Le fils n'assiste pas à cette première séance.

« Vous comprenez, aller voir un psychologue, il faut qu'il soit consentant, ce n'est pas comme chez le dentiste ! », me précise la mère.

Le thérapeute. – J'ai bien entendu que vous passiez des heures à l'aider à créer des fiches synthétiques pour ses textes de français ?

La mère. – Oui et cela ne donne pas grand-chose : il est passif, attend que je lui mâche le travail, répond à côté de la plaque, rêvasse, ne cherche rien...

Le thérapeute. – Et vous continuez de l'aider ?

La mère, apparemment offusquée. – Il n'a jamais été très littéraire, j'enseigne le français, je suis sa mère, je peux bien faire pour lui ce que je fais pour mes élèves !

Le thérapeute. – Cela part d'un bon sentiment, mais pensez-vous que c'est utile ?

La mère. – Pas pour le moment, mais je suis sûre que ce serait pire si je le laisse faire tout seul. Je l'ai déjà expérimenté, quand je ne surveille plus, quand je ne l'aide plus, il laisse tout tomber et ça c'est...

Le thérapeute. – C'est ?

La mère. – Insupportable... qu'il échoue ses études à cause de moi !

Les parents en question ne sont pas déficients, ni pathologiques. Comment se fait-il qu'ils persistent dans des attitudes particulièrement inefficaces ? La réponse est simple : ils ne sont pas éducateurs parce que prisonniers de leurs propres réactions émotionnelles devant les comportements de leurs enfants.

➤ *L'émotion nous rend inefficaces*

Il nous faut donc comprendre ce qui stimule nos réactions émotionnelles pour mieux réagir ensuite devant tel ou tel comportement infantile inadéquat. Qui stimule l'émotion ? Est-ce l'événement déclencheur, la bévue que vient de commettre l'enfant, ou notre propre interprétation de cette situation activante ? Vaste débat.

Il existe bien sûr une interaction entre l'événement, nos pensées et nos réponses émotionnelles. Mais l'émotion est très fréquemment renforcée par les pensées automatiques qui s'attachent aux adversités que nous rencontrons. Nous reprenons le modèle cognitivo-comportemental d'Albert Ellis[1] qui souligne l'importance de nos pensées, croyances, exigences et demandes. Celles-ci génèrent des réactions affectives disproportionnées parce que le plus souvent irrationnelles, démesurées, voire tout simplement irréalistes. Ces pensées sont à l'origine de nos réponses émotionnelles et forgent de véritables attitudes parentales conditionnées, des automatismes comportementaux qui ne répondent plus à la situation déclenchante mais à nos scénarios internes.

L'émotion renforcée par les pensées automatiques

➤ *Le modèle cognitivo-comportementaliste*

Albert Ellis, fondateur des approches cognitives (psychothérapies cognitivo-comportementales) propose un modèle simple pour mettre à jour des pensées ou monologues intérieurs peu ou prou conscients.

À la croyance « classique » :

> *Événement => Émotions*
> *Mon fils me désobéit => Je me sens nul, impuissant pour me faire respecter*

(Les émotions sont stimulées, générées par des événements ou « situations activantes ».)

1. A. Ellis., *Reason and Emotion in psychotherapy*, New York, Citadel Press, 1962.

Se substitue le schéma :

Événement => Pensées => Émotions
Mon fils me désobéit => Je devrais avoir de l'autorité ! » => Je me sens nul...

(Les événements provoquent, déclenchent des pensées automatiques et ce sont celles-ci qui créent des réponses émotionnelles.)

Dès 1950, Albert Ellis crée la thérapie rationnelle à l'origine des thérapies comportementales et cognitives. Plus connue sous l'appellation « RET » « *Rational Emotive Therapy* », elle est récemment rebaptisée « *Rational Behavioral Emotive Therapy* » (1996). Cette approche est cognitive dans sa volonté de confronter les pensées négatives, les monologues d'autodépréciation, les schémas cognitifs, les postulats de base liés à tel événement, pensée ou situation activants. L'originalité d'Ellis est l'appréhension des cognitions irrationnelles, les véritables déclencheurs émotionnels. Dès que la pensée cesse d'être souple, « formelle » (pour reprendre la terminologie piagétienne), des automatismes de pensée, des idées toutes faites, des illogismes, des distorsions cognitives émergent et nous empêchent d'évaluer notre propre système de réflexion devant un quelconque événement.

Les pensées irrationnelles répondent le plus souvent à des demandes, des attentes, des exigences « hors réalité ». Ce sont les croyances, que nous les ayons créées ou qu'elles aient été apprises, qui exigent que la réalité ne soit pas ce qu'elle est. Ainsi, ces croyances se traduisent par des « il faut que », « je dois », « la réalité devrait ». Il n'est pas question de bannir les verbes « devoir » ou « falloir ». Il nous faut les évaluer en termes logiques, réalistes. Les sujets les plus équilibrés ont des « souhaits », « préférences » et ne semblent pas répondre aux absolus de pensée, ils savent relativiser, inclure le

« doute » dans leur propos (pensée « postformelle ») et élargir ainsi leur champ mental. Dans les « je veux que la réalité soit comme cela », « il ou elle devrait se comporter ainsi », « je devrais faire ceci », il n'y a plus de place à la réflexion, à la souplesse qui permettent de mieux appréhender le réel. Les croyances et leurs cognitions « absolutistes » dominent désormais tous les processus d'une pensée réduite à affirmer, déduire, bien loin d'une prise d'informations adéquate et d'une analyse pertinente des données.

Dans notre exemple, le père ne cesse de se dire qu'il « doit avoir de l'autorité » sur son fils de 9 ans. Cette pensée automatique, loin de le stimuler pour donner une réponse éducative efficace, l'inhibe encore plus. Il ne s'agit plus de la réalité, répondre à un enfant qui désobéit, mais de la réalité interne du père qui veut avoir de l'autorité comme « tout le monde doit en avoir ». Et s'il est d'un tempérament peu affirmé, non conflictuel, il se répétera sans cesse qu'il devrait « faire ceci ou cela » au lieu, par exemple, de trouver une solution avec sa femme ou d'autres intervenants puisqu'il a du mal avec l'autorité. Nos pensées créent nos réponses émotionnelles et dictent donc nos réponses comportementales, nos attitudes parentales.

➤ *Que sont les « pensées automatiques » ?*

Ces croyances, attentes, exigences sont de véritables pensées conditionnées parce que sans cesse répétées. Leur origine ? Certes, elles peuvent révéler des expériences passées avec leurs dysfonctionnements et leurs échecs mais elles s'autoalimentent constamment, au fur et à mesure des situations nouvelles. Elles créent de véritables attitudes devant l'éducation en général. Le premier travail est de mettre au jour ces pensées. Pour évaluer ces « croyances » ou « monologues intérieurs », il suffit d'utiliser le tableau suivant.

A Situation activante	B Pensées, croyances, monologue intérieur ou *beliefs* en anglais	C Conséquences émotionnelles et comportementales

Avant toute chose, il nous faut bien appréhender le « **A** », la situation activante, et le « **C** », les conséquences émotionnelles et comportementales qui y sont immédiatement attachées.

A Situation activante	**B** Pensées, croyances	**C** Conséquences émotionnelles et comportementales
Je lis le cahier de liaison, mon enfant est accusé d'avoir insulté un membre du personnel de la cantine.		Je ressens de la colère. Je réprimande mon enfant, le menace de futures sanctions. Mais j'oublie de lui donner une conséquence le jour même. Je le traite de « bon à rien », j'en ai assez de ses « comportements de voyou ».

Dans un second temps, il est nécessaire de retrouver les pensées conscientes ou non qui ont majoré les émotions. Pour ce faire, il est utile de partir de l'émotionnel : je ressens de la colère parce que je me dis… Retrouver ce que l'on peut se raconter à propos de l'événement lui-même et non rechercher notre interprétation, notre analyse du « A ». Dans notre modèle, nous obtenons

A Situation activante	B Pensées, croyances	C Conséquences émotionnelles et comportementales
Je lis le cahier de liaison, mon enfant est accusé d'avoir insulté un membre du personnel de la cantine.	Il n'aurait pas dû récidiver après les incidents du week-end dernier ! Il aurait dû comprendre.	Je ressens de la colère. Je réprimande l'enfant, le menace de futures sanctions. Mais j'oublie de lui donner une conséquence le jour même. Je le traite de « bon à rien », j'en ai assez de ses comportements de voyou ».

Dans cet exemple, le parent s'endoctrine avec cette croyance : « Quand on a déjà été puni, on ne doit pas récidiver ! » Il s'attend à une réaction « normale » de son enfant et la récidive « le tue », car manifestement ce dernier ne comprend rien à rien, il est imperméable à l'expérience ! Prenons le même événement avec un père plus anxieux.

A Situation activante	B Pensées, croyances	C Conséquences émotionnelles et comportementales
Je lis le cahier de liaison, mon enfant est accusé d'avoir insulté un membre du personnel de la cantine.		Je ressens de l'anxiété. Je ne sais plus quoi faire. Je lance à mon enfant un « tu es désespérant », lui fais la morale sur la nécessité de respecter les gens de la cantine. J'essaie de nouveau de savoir ce qui se passe, de trouver un « pourquoi ? » avec lui mais là aussi, j'oublie de lui donner une conséquence le jour même.

Cette situation a apparemment rendu le parent anxieux et, finalement, il cède aussi aux jugements négatifs et autres questionnements alors que son enfant n'attend peut-être qu'une simple sanction devant la gravité de son acte. Que s'est-il dit en pensant à ce que l'enfant venait de faire ?

A Situation activante	B Pensées, croyances	C Conséquences émotionnelles et comportementales
Je lis le cahier de liaison, mon enfant est accusé d'avoir insulté un membre du personnel de la cantine.	J'ai encore dû mal m'y prendre avec lui puisqu'il récidive. Je n'ai sans doute pas compris ce qu'il vit à l'école. Je devrais comprendre ce qui lui arrive.	Je ressens de l'anxiété. Je ne sais plus quoi faire. Je lance à mon enfant un « tu es désespérant », lui fais la morale sur la nécessité de respecter les gens de la cantine. J'essaie de nouveau de savoir ce qui se passe, de trouver un « pourquoi ? » avec lui mais, là aussi, j'oublie de lui donner une conséquence le jour même.

Ici, le parent ne pense pas que son enfant « devrait caler, obéir » après les punitions des derniers incidents, ce qui génère des sentiments de colère. Il se dit, au contraire, que la récidive est la preuve que lui, parent, « n'est pas efficace » et qu'il « aurait dû s'y prendre autrement », voie royale pour les sentiments de culpabilité et, bien sûr, pour renforcer l'anxiété. Dans ce deuxième cas de figure, une même attitude parentale : des mots, de l'émotion et pas de conséquences.

Évaluons maintenant les pensées d'un autre père qui subit exactement le même événement.

A Situation activante	B Pensées, croyances	C Conséquences émotionnelles et comportementales
Je lis le cahier de liaison, mon enfant est accusé d'avoir insulté un membre du personnel de la cantine.	Il a récidivé, je n'aime pas ça mais c'était couru, il teste de nouveau ma réaction : une nouvelle sanction ou le retour aux leçons de morale d'antan ?	Je ressens de la frustration, les changements se font attendre. Je lui dis mon désaccord sur son attitude mais je n'oublie pas de donner une conséquence le jour même, il faut marquer la gravité du passage à l'acte.

Cette fois-ci, le parent semble redevenir efficace. Il ne ressent ni colère ni anxiété mais des émotions plus appropriées : agacement, frustration, inquiétude. Il sait exprimer son désaccord mais donne aussitôt la sanction qui doit répondre à l'acte.

Qu'est-ce qui a fait la différence ? Selon nous, il pense plus rationnellement que nos deux parents précédents. Il tient compte de la réalité : avoir un enfant insolent n'est pas agréable mais, s'il récidive, cela fait partie du profil de l'enfant tyran qui recherche constamment la faille et l'impunité. Dans ce cas, la réponse n'est pas la morale, la critique, le jugement négatif mais une attitude réaliste : « Je te prouve une nouvelle fois que tu ne peux pas faire ce que tu veux, tu assumes donc les conséquences de tes actes ! »

La différence essentielle entre ces façons de penser ou d'évaluer la même situation activante, l'insulte à la cantine, réside dans le caractère rationnel, réaliste, ou irrationnel, irréaliste, de chaque croyance.

➤ *Qu'est-ce que les pensées rationnelles et les pensées irrationnelles ?*

Une pensée rationnelle se définit tout simplement par son réalisme. Dans les différentes situations évoquées ci-dessus, nous entendons plusieurs pensées irrationnelles. Le père qui craint ses réponses violentes ne cesse de s'endoctriner avec des pensées intérieures comme : « Je ne dois pas être violent avec mon fils... Il ne devrait pas provoquer ma violence... » La réalité est qu'il « est » colérique et qu'il y a malheureusement de grandes chances qu'il cède à la brutalité s'il attend trop pour intervenir auprès de son enfant. Être réaliste, rationnel dans son cas serait de clairement analyser la situation : mon enfant a pris le pouvoir, il génère des réactions trop fortes de ma part, comment m'y prendre pour le stopper avant que je ressente cette colère interne ? Ce père doit travailler non seulement sa croyance irrationnelle qu'il devrait être « zen » devant les passages à l'acte de son fils mais aussi un bon nombre d'autres pensées irréalistes telles que « on doit avoir un rapport de confiance avec ses enfants », etc.

Madame S., la maman de l'élève de première se conditionne, elle aussi, avec des pensées toutes faites, qui ne reposent en rien sur le réel : « Il ne peut qu'échouer sans mon aide ! », « Une bonne mère se doit d'éviter l'échec à son fils ». Cette philosophie dite nourricière ou maternante pourrait être réaliste s'il s'agissait d'un enfant dévalorisé, avec de maigres moyens intellectuels et surtout si l'aide apportée donnait ses fruits, ce qui est apparemment tout juste le contraire.

Quant au dernier exemple inscrit dans le tableau « ABC », se dire inlassablement qu'un enfant tyran « doit retenir les leçons du passé et engranger de la maturité avec l'expérience » est tout à fait irrationnel lorsque l'on sait à quel point la récidive le caractérise. Le parent lucide, qui accepte (sans être heureux ni fataliste pour autant) une des caractéristiques de son enfant tyran, peut anticiper les futures rechutes ou récidives et s'armer de nouvelles attitudes ou conséquences éducatives, ce qui est plus réaliste.

➤ *Qu'est-ce que les émotions négatives adéquates et les inadéquates ?*

L'adéquation ou l'inadéquation d'une émotion se caractérise par son intensité et la possibilité pour les parents d'agir ou non ensuite devant un quelconque passage à l'acte.

Quelques exemples pour mieux comprendre cette terminologie.

Des faits…	**Émotions négatives inadéquates**	**Émotions négatives adéquates**	**Actions…**
Il a volé de l'argent à un des parents.	Colère, fureur.		Réprimandes, morale, menace de sanctions.
Il a volé de l'argent à un des parents.		Ennui, agacement, déception, frustration.	Décision immédiate pour qu'il rembourse.
Il est rentré très en retard à la maison.	Anxiété, angoisse puis colère.		Rappel des dangers encourus et des règles pour l'avenir.
Il est rentré très en retard à la maison.		Inquiétude et énervement devant la récidive.	Rappel des consignes et décision d'interdire de prochaines sorties.

➤ *Les pensées irrationnelles et les émotions inadéquates sont liées*

Puisque ce sont nos pensées irréalistes, irrationnelles qui amplifient nos réponses émotionnelles, nous pouvons désormais analyser les exemples suivants pour bien marquer les interactions « Événement => Pensées => Émotions => Comportement ».

Situation activante	**Pensées irrationnelles**	**Émotions négatives et comportements inadéquats**	**Pensées rationnelles**	**Émotions négatives et comportements adéquats**
L'enfant insulte ses parents.	Il devrait respecter ses parents.	Colère, risque de contre-agressivité.	Il est irrespectueux dès qu'il subit une contrainte.	Frustration, énervement mais une nouvelle conséquence pour ce passage à l'acte.
Il a menti sur les notes à l'école.	Il devrait dire la vérité, comment l'amener à être franc ?	Anxiété ou colère. Nouveaux sermons sur la nécessaire confiance dans la famille.	Le mensonge est une habitude pour éviter les sanctions.	Déception, amertume. Continuer les conséquences pour les notes.

➤ *Nos pensées irrationnelles concernant notre enfant tyran*

La colère est le plus souvent le fruit d'exigences irrationnelles concernant notre enfant tyran. Nous citons ici les plus courantes :
- il devrait atteindre l'âge de raison,
- il devrait tenir compte de ses expériences,
- il devrait savoir que l'on ne peut pas faire ce que l'on veut,
- il devrait respecter les autres,
- il ne devrait pas vivre dans l'immédiateté,
- il devrait mûrir seul !

L'anxiété est la résultante d'injonctions irrationnelles sur ce que nous devrions faire pour éduquer l'enfant tyran :
- je devrais avoir plus d'autorité,
- je devrais y arriver puisqu'il est normal !
- je devrais lui transmettre facilement mes valeurs,
- je ne devrais pas être en guerre avec lui,
- je devrais mieux le comprendre.

Elle peut traduire aussi la crainte disproportionnée de perdre l'amour de l'enfant tyran :
- s'il n'y a que des conflits, il s'endurcira,
- si nous n'avons pas de positif avec lui, il se détachera de nous,
- s'il me regarde comme cela, c'est qu'il ne m'aime pas,
- si on est plus dur, il partira,
- si nous ressemblons à nos parents, nous répétons les mêmes erreurs.

Poussés à l'extrême, les sentiments anxieux peuvent générer une véritable dépression quand l'échec que nous fait subir l'enfant tyran se traduit pas des pensées telles que :

- un bon parent doit se faire aimer de ses enfants,
- être en conflit avec un enfant signe un échec relationnel,
- l'omnipotence d'un enfant révèle notre incapacité à l'aimer.

> À la tyrannie de l'enfant tyran, nous ajoutons nos pensées autodestructrices.

Acceptez votre enfant tyran

Il est dur, omnipotent, égocentrique, intolérant aux frustrations, repensons aux définitions des chapitres précédents. Et si par malheur nous reconnaissons bien là notre enfant, cessons d'ajouter dans nos têtes toutes les croyances, pensées ou réflexions que nous venons de citer. Il est temps de voir le réel en face : un effort de remise en question nous attend pour gagner la partie et reprendre de l'autorité sur notre enfant, mais c'est possible si nous acceptons les dysfonctionnements comme ils sont. Nous ne sommes plus dans le domaine des « il aurait fallu », « j'aurais dû » ou « il devrait », mais dans la réalité des « comment faire ? », « quelle réponse éducative à son impunité ? », « quel savoir-faire pour confronter son intolérance aux frustrations ? »

➤ *Prenez conscience que vos croyances génèrent vos réponses éducatives*

Test : êtes-vous colérique, anxieux ou dépressif ?

Pour réaliser ce test, pensez à des situations où votre enfant a particulièrement exagéré, un événement où vous avez ressenti un grand stress. Dites-vous : « J'étais en colère, anxieux parce que je pensais... » Tentez de retrouver les absolus de pensée, les exigences, demandes, attentes déme-

Pensées irrationnelles et rationnelles autour de l'enfant tyran

Pensées irrationnelles	Pensées rationnelles
Il devrait être plus mature.	Il est immature, c'est justement là son problème.
Il devrait se remettre en cause.	Il remet toujours les autres en cause.
Il devrait accepter un minimum de frustration.	Il est intolérant aux frustrations.
Il devrait dire la vérité.	Il recourt aux mensonges pour éviter les sanctions.
Il devrait savoir que l'école c'est pour l'avenir.	Il ne vit qu'au jour le jour.
Il devrait avoir des objectifs.	Il n'a que des objectifs immédiats.
Il devrait avoir une passion.	Il s'éparpille au gré des sollicitations.
Il devrait avoir des amis fiables.	Il ne fréquente que si cela lui apporte.
Il ne devrait pas être attiré par tout ce qui est marginal.	Il n'aime que tout ce qui est hors norme.

surées, les croyances tyranniques que vous portez en vous. K. Horney évoquait la tyrannie des mots tels que « il faut », « ça doit », « il doit », etc. Ces injonctions, « surmoïques » ou pas, sont le véritable révélateur de votre endoctrinement irrationnel. Quand vous les reconnaissez, vous voyez immédiatement que vos croyances ne correspondent aucunement au réel mais à votre propre problématique.

Si vos réponses, vos pensées sont trop liées au regard de l'autre, à ce que l'enfant ou les autres pensent de vous et de vos comportements, vous éprouvez de l'anxiété dans chacune des situations activantes.

Besoin démesuré de l'approbation de l'autre = anxiété.

La tyrannie des « je dois », « il faut », « ça devrait »

Situations activantes	**Colère**	**Anxiété**	**Sentiments dépressifs**
Il a raté un cours au collège.	Il ne devrait pas avoir des comportements délinquants.	J'ai peur qu'il prenne cette habitude, je devrais être plus présent.	Je n'arrive pas à le motiver pour l'école, je devrais être plus compréhensive.
Vos situations activantes	*Il devrait...*	*Je devrais...*	*J'aurais dû...*

Si vos croyances vous renforcent constamment dans votre conviction de ce que votre enfant devrait faire à son âge ou dans l'idée que vous vous faites de ce que vous devriez faire en tant que parent, vous éprouverez de la colère contre votre enfant ou contre vous-même.

Exigence totale sur ce que l'autre devrait faire = colère.

Si chaque nouvelle épreuve, chaque nouvel échec vous confirme que vous êtes un mauvais parent et que vous n'arriverez jamais à éduquer votre enfant, vous risquez de ressentir des sentiments d'autodépréciation, voire des sentiments dépressifs.

Pensées absolutistes sur ce que vous auriez dû faire = dépression.

➤ *Évitez les pensées exagérées, fausses, irrationnelles*

Bien souvent, nous fonctionnons mentalement sans utiliser toutes nos capacités de logique, de raisonnement, d'abstraction, sans élaborer d'hypothèses que nous chercherions à valider ou à contester.

Nous appelons distorsion cognitive cette faculté que nous avons tous à ne plus nous servir de nos capacités de raisonnement dans des contextes émotionnellement chargés. Notre intelligence émotionnelle cède bien souvent le pas devant des pensées totalement exagérées ou fausses, hors réalité, en tout cas irrationnelles. Voici quelques exemples d'erreurs psychologiques ou distorsions cognitives qu'il nous faut éviter au maximum.

Évitez la pensée manichéenne du « tout ou rien »

Aucune nuance n'est apportée lorsqu'il s'agit d'évaluer, de juger. Tout est noir ou blanc. Certains parents se sentent dévalorisés dès qu'ils n'obtiennent pas le résultat attendu ; certains même se sentent « nuls » s'ils n'ont pas l'autorité voulue sur leur enfant.

Pas de surgénéralisation

Un mauvais résultat dans un domaine alimente aussitôt cette croyance : les résultats seront toujours similaires dans ce domaine. Même si l'enfant tyran n'a de cesse de tenter de nous prouver le contraire, il existe bien des moments où nous réussissons à maintenir notre autorité. Que rien n'y fasse pour le motiver à l'école ne doit pas annuler certains petits succès éducatifs quotidiens. Généraliser nous entraîne irrémédiablement dans la spirale des prédictions négatives : l'enfant tyran est irrécupérable et ce dans tous les domaines.

Changez votre filtre mental « négatif »

La pensée ne relève que les événements négatifs ou échecs et la mémoire enregistre prioritairement ces faits-là. Devant les nombreux passages à l'acte de notre enfant tyran, nous risquons de nous souvenir que des aspects négatifs de la vie avec lui.

Il est souhaitable de ne pas disqualifier le positif. Chaque point, qualité, événement à caractère satisfaisant ou « positif » ne doit pas être écarté et annulé, jugé comme insignifiant ou « normal », sans intérêt particulier. Si quelque chose ou quelque événement peuvent être « évalués » positifs, tout doit être fait pour ne pas les négativiser avec des réflexions comme : « C'est un hasard si ce que j'ai fait a marché ! »

Pas de dramatisation ou de catastrophisme !

Certes, il est difficile d'arrêter l'enfant tyran dans ses conquêtes et débordements. Certes, nous avons insisté sur des dysfonctionnements très importants. Mais est-ce plus contraignant que d'avoir un enfant handicapé, un enfant atteint d'une maladie grave ?

Relativisons, si l'enfant tyran est difficile à gérer, il l'est moins que les différentes pathologies auxquelles il pourrait s'abandonner : la délinquance, la toxicomanie, l'obésité, les conduites suicidaires, etc. Souvenez-vous, il existe bel et bien une réponse éducative dans un premier temps, et c'est une réponse parentale à votre mesure.

Reconnaître, évaluer, remettre en question vos pensées

Avant de remettre en question vos croyances irrationnelles — c'est l'objet du prochain chapitre —, il était nécessaire de bien savoir évaluer les liens entre nos pensées, nos émotions et nos réponses éducatives. Gérer son émotionnel, vous l'avez compris, ne consiste pas à comprendre le pourquoi de nos réactions, ni à chercher bien loin un quelconque événement passé déclencheur. Beaucoup plus prosaïquement, nous vous proposons de prendre conscience des cognitions, des petites voix intérieures qui accompagnent les situations éducatives activantes.

Croyances => émotions => réponses éducatives

➤ *Éduquer à l'émotion est inefficace*

Et pourtant l'homme n'est qu'émotions ! Il serait donc impossible de retrouver sa sérénité devant les conflits que génère l'enfant tyran, puisque provoquer l'émotionnel parental est son arme favorite. Pour contrecarrer son entreprise, il nous faut mieux le connaître dans ses excès, ses débordements, sa pathologie — c'était l'objectif des précédents chapitres. Accepter la déviance de l'enfant tyran est une première étape. La seconde, que je viens de décrire dans ce chapitre, est bien la remise en cause de soi en tant que parent. Nous, parents, devons travailler nos propres attentes, exigences et demandes pour ne pas majorer nos réactions émotionnelles et donc nos comportements. Si l'émotion rend inefficace notre volonté éducative, il nous appartient de l'atténuer en reconnaissant et en discutant les pensées qui lui sont profondément attachées. L'approche cognitive est une hypothèse sérieuse pour saisir ce lien entre les adversités que sont les passages à l'acte de l'enfant tyran avec nos irrationalités (une subjectivité pas toujours réaliste) et nos attitudes, pas toujours constructives. Éduquer c'est d'abord éduquer sa propre philosophie interne.

CHAPITRE 10

Remettez en question vos préjugés

> « Raisonner avec les enfants était la grande maxime de Locke ; c'est la plus en vogue aujourd'hui ; son succès ne me paraît pourtant pas fort propre à la mettre en crédit ; et pour moi, je ne vois rien de plus sot que ces enfants avec qui l'on a tant raisonné. »
>
> Jean-Jacques ROUSSEAU.

Nous venons de voir à quel point les pensées automatiques stimulent nos émotions et nos comportements dans tel ou tel contexte déclenchant. S'agit-il désormais de remplacer ces pensées négatives ou irrationnelles comme le proposait Émile Coué[1], pharmacien de la fin du XIXe siècle qui se révèle être un cognitiviste avant l'heure ! Non, ce n'est pas si simple. S'il suffisait d'apprendre de nouvelles croyances pour équilibrer notre psychisme, cela se saurait.

En revanche, il est possible de répertorier nos croyances sur tel ou tel sujet, de les mettre ensuite à la question,

---

1. *La Maîtrise de soi-même par l'autosuggestion inconsciente*, Paris, Renaudot, 1989.

de douter constamment de leur véracité… bref, d'appliquer la démarche de la dispute socratique bien connue des philosophes qui ont toujours tenté de « falsifier » les certitudes pour les rendre plus scientifiques, donc réalistes. Je vous propose de le faire dans les pages suivantes, devenez Socrate et sachez contester ce qui semblait jusque-là acquis et compris, notamment dans les thèses classiques de la psychologie de l'enfant.

Ce que vous avez appris de la psychologie

➤ *Comment on s'endoctrine*

Nous l'avons vu, nous avons nous-mêmes échafaudé certaines croyances irrationnelles. Pour nous, un enfant ne peut être ni roi ni tyrannique. Pour nous, un parent doit pouvoir assumer son autorité en toute logique.

En réalité, nous devrions appréhender les dysfonctionnements infantiles comme une véritable maladie ou pathologie et ne plus croire « romantiquement » que la nature a bien fait, ou fera bien les choses.

Malheureusement, nos croyances se trouvent renforcées, réactualisées, nourries par d'autres croyances culturelles : la littérature « psy » participe, ô combien, à nous apprendre des « vérités » sur l'enfant. Quoi de plus normal de croire les spécialistes !

Il n'est pas question de tout contester, la psychologie de l'enfant a sans doute permis de grands progrès en termes de compréhension du développement psychoaffectif, pour appréhender et mieux traiter certaines pathologies infantiles lourdes. Mais lorsqu'il s'agit du quotidien, de l'éducation ? Prenons un peu de recul et évaluons les affirmations et conseils psychologiques comme de simples croyances. Mettons-les à l'épreuve du réel, demandons-nous si ces hypothèses psychologiques ne s'avèrent pas inappropriées aux comportements tyranniques de certains enfants.

➤ *L'éducation est-elle castratrice ?*

« Il semble qu'au fur et à mesure que l'on se rapproche de l'époque moderne, la mutilation, l'exploitation et la persécution physiques de l'enfant aient été supplantées par une cruauté psychique, que l'on peut en outre présenter sous la dénomination bienveillante et mystificatrice d'"éducation"[2]. » A. Miller n'y va pas par quatre chemins, elle dénonce l'éducation en général. Elle n'est pas seule et de nombreux autres auteurs auraient pu signer cette autre pensée :

« Je voulais à tout prix montrer que les regards d'interdiction ou de mépris que percevait le nourrisson pouvaient entraîner à l'âge adulte de graves troubles, en particulier des perversions et des névroses obsessionnelles. » L'éducation interdit, frustre, domine, est donc source de pathologie. Les propos relatés sont abrupts mais clairs. En revanche, il est souvent utile de savoir lire en filigrane ce qui se cache derrière la pensée de certains spécialistes de l'enfance particulièrement célèbres et lus. J'entends déjà le « c'est la vulgarisation d'une pensée qui la pervertit » ; sans doute, mais il faut parfois analyser ce qu'une pensée peut stimuler comme croyance chez le néophyte qui en prend connaissance, c'est-à-dire chez le parent en recherche de conseils.

---

2. A. Miller, *C'est pour ton bien*, *op. cit.*

➤ *Peut-on évaluer nos croyances en psychologie ?*

À notre époque, dès qu'il s'agit de problèmes de l'enfance au sens large (jusqu'à la maturation adulte), F. Dolto reste une des références incontestées. Pour nous, il s'agit de savoir si ses écrits éclairent, aident à la réflexion des parents désorientés devant des phénomènes d'omnipotence infantile. Ou, *a contrario*, si ces écrits ne génèrent pas des croyances ou absolus de pensée incontournables pour mieux comprendre les problèmes de l'enfant tyran ? Mon hypothèse n'est bien sûr que qualitative, elle n'est pas une étude ou une recherche quantitative. Je reprends ici les témoignages de nombreux parents venus consulter et qui ont eu « connaissance » des propos de F. Dolto soit par des spécialistes, soit par leurs propres lectures.

Mon propos n'est pas de nier les bienfaits des écrits de F. Dolto pour certaines pathologies d'enfant, mais de faire apparaître que son approche pourrait être inadéquate pour d'autres dysfonctionnements tels les problèmes de démotivation scolaire ou d'omnipotence infantile. Ainsi, de nombreux parents ont fait l'amalgame entre des problèmes psychologiques profonds et la pathologie de l'enfant tyran. Leur demande est bien de trouver le noyau névrotique, l'origine du mal de leur enfant quand ils viennent consulter : il existerait une cause profonde, inconsciente, chargée de sens pour expliquer les dysfonctionnements actuels. C'est possible… mais combien de problèmes éducatifs sont résolus sans psychothérapie profonde !

➤ *Françoise Dolto est-elle dangereuse ?*

Pourquoi insister sur sa pensée ? Il ne s'agit pas de la soupçonner d'absolutisme ou de dogmatisme mais d'évoquer les possibles dangers de certains de ses propos dans l'intégration qu'en ont fait ses lecteurs. F. Dolto savait pertinemment que chaque enfant est unique et que c'est la clef de toute entreprise clinique. Cependant, elle a amplement participé à un réel « conditionnement » de la pensée parentale. Prenons par exemple un ouvrage classique, *La Cause des adolescents*.

Je suis parent, les travaux de l'auteur m'ont toujours beaucoup intéressé, sont « connotés » sérieux ; mon enfant se désintéresse de la scolarité, refuse de se plier au rythme, aux exigences scolaires et aux enseignants, il est pourtant intelligent, c'est le cas type d'un enfant tyran « non performant ». Il est de surcroît adolescent, élève de seconde. En très peu de temps, j'intègre des affirmations qui ne vont qu'amplifier mes croyances premières quant à l'explication des troubles de mon enfant : l'adolescent a une « réaction de défense » devant l'environnement (il n'offense pas, il se défend, il n'est pas responsable mais victime).

Qu'en est-il des adolescents qui manifestent plutôt des actes offensifs ? Est-ce que le conflit systématique, le refus de travailler, la volonté de non-coopération avec les enseignants, l'opposition aux parents signent forcément une peur sous-jacente de perte ou de quête d'identité ? Et s'il s'agissait d'un problème de comportement, d'intolérance aux frustrations, d'omnipotence infantile ?

➤ *Les hypothèses psy sont-elles plus que des croyances ?*

« Un adolescent qui est offensif signe une quête de soi et de l'autre[3]. » Il existerait donc une signification derrière la provocation des ados, d'où, bien sûr, cette autre loi parentale de tolérance devant les passages à l'acte. Lisons ce passage édifiant concernant les enseignants et leur peur devant le comportement inadéquat de l'adolescent :

---

3. F. Dolto, *La Cause des adolescents*, Paris, Pocket, 1985.

« Mais il faut supporter d'être chahuté, en ayant cette perception : oui, je suis chahuté parce que je suis un adulte, mais ce que je leur dis les aide et les soutient… » (p. 19). Combien d'enseignants sont tombés sous cette tyrannie de l'acceptation inconditionnelle de certains comportements offensifs à forte signification ! Et combien de parents !

Oui, nous sommes d'accord avec certaines thèses de F. Dolto quand il s'agit d'insister sur des problématiques qui peuvent surgir autour de l'acceptation de soi, la connaissance de son corps, etc. Le dialogue est alors indispensable. Mais attention à la tentation de généraliser : ce qui est bon pour certains aspects de l'adolescence ne l'est pas forcément pour les problèmes de comportement ou d'opposition.

➤ *L'enfance ou l'adolescence sont-elles si fragiles ?*

Le danger est là, très vite les théories analytiques classiques fragilisent l'enfant ou l'adolescent : « Dans ce moment de fragilité extrême, ils se défendent contre les autres ou par la dépression ou par un état de négativisme qui aggrave encore leur faiblesse…[4] »

Dès les premières lectures, je peux intégrer très vite cette première loi psychologique ou croyance : enfant = à manier avec précaution.

Certes, dans certaines difficultés lourdes, cette loi peut se révéler indispensable mais, nous le répétons, pas d'amalgame, ni de généralisation à la population qui nous intéresse : celle des enfants tyrans. Le résultat de ce type de croyance parentale : le refus du conflictuel, la quête du meilleur relationnel possible, avec l'angoisse permanente du possible passage à l'acte de leur enfant : fugue, tentative de suicide. Combien de fois avons-nous

4. Françoise Dolto, *La cause des adolescents*, Paris, Pocket, 1985.

entendu les paroles angoissées des parents lorsqu'il s'agissait de confronter certaines attitudes de leur enfant :

« Vous savez, derrière son arrogance, il cache de la détresse... », « Ne vous fiez pas à ses provocations, il est fragile... ».

➤ *L'enfance est-elle réellement le berceau des futures pathologies ?*

Nous avons relevé dans l'ouvrage de Françoise Dolto *Psychanalyse et Pédiatrie* de nombreuses « interprétations » qui peuvent, selon notre hypothèse, se transformer en « croyances » ou « irrationalités » chez certains parents. Toute la première partie reprend le dogme analytique du complexe d'Œdipe comme si l'hypothèse de S. Freud était scientifiquement admise et prouvée. Nous ne reprendrons pas les propos de J. Van Rillaer[5] contestant ce « mythe ». Ce qui nous paraît le plus dangereux : les parents doivent adhérer tout de suite à quelques affirmations : l'enfant évolue selon les différents stades du développement psychique selon la psychanalyse. Il faudra désormais comprendre le stade d'évolution de son enfant au regard du stade oral, anal et phallique et y rattacher bien sûr les problèmes ou dysfonctionnements. En clair, si mon enfant a tel ou tel problème, je dois désormais le comprendre en termes de « désir du parent de sexe opposé », « angoisse de castration » puisqu'il est à l'âge du complexe d'Œdipe (5 ou 6 ans).

➤ *Est-il utile de tout interpréter ?*

Désormais, le questionnement des parents n'est plus d'appréhender les problèmes de l'enfant dans leur réalité

---

5. J. Van Rillaer, *Les Illusions de la psychanalyse*, Bruxelles, Mardaga, 1972.

quotidienne (dysfonctionnements d'apprentissage, démotivation, intolérance aux frustrations), mais dans leur signification. Le propos est exagéré ? Reprenons quelques réflexions de l'ouvrage de F. Dolto.

Le cas de Sébastien, 10 ans : « Enfant très nerveux, indisciplinable, menteur, autoritaire. Il n'apprend rien en classe, le maître ne peut plus le supporter… » (p. 189).

Quelques conseils : « Ne pas lui dire deux fois (à l'enfant) de se lever pour aller à l'école. Tant pis s'il ne se lève pas… »

Les cognitions parentales inadéquates ou « irrationnelles » que peuvent générer de tels propos : s'il y a blocage, il ne faut pas contraindre l'enfant…

C'est peut-être vrai pour certains, cela reste à prouver, mais c'est très faux pour beaucoup d'autres pour qui la question de la « contrainte » est déterminante.

Viennent ensuite les interprétations de l'auteur : le « blocage » viendrait d'une culpabilité devant des actes de masturbation… d'où cette conclusion : « Il s'agissait bien d'une angoisse de castration. […] Sébastien projette sur les autres la responsabilité, […] il accumule des sentiments de culpabilité qui, ajoutés à son angoisse de castration, cherchent un apaisement qu'il trouve dans la punition provoquée par des scènes ridicules à propos d'indocilités puériles et de négativisme systématisé. »

Croyances parentales : les comportements d'agressivité ou offensifs doivent être compris comme une recherche de punition sous l'emprise de la culpabilité.

Il ne faut donc pas sanctionner les comportements déviants, mais il faut les comprendre.

➤ *Psychologie ou éducation ?*

Combien de parents demandent notre intervention magique parce qu'ils ne savent plus arrêter un comportement agressif qui ne relève pourtant que d'une pure action éducative ?

Si le comportement de l'enfant n'est plus compris dans sa réalité mais recherché dans sa signification, les parents sont perdus et oscillent le plus souvent dans des attitudes contradictoires d'extrême fermeté ou de grande permissivité qui ne font généralement que renforcer les dysfonctionnements de leur enfant. Et si le « passage à l'acte » de l'enfant n'était aucunement symbolique d'une névrose plus ancrée mais simple problème comportemental du type « je fais ce que je veux » ? Mais étudions un autre cas.

Celui de Patrice, 10 ans : « Lent, très nerveux… » (p. 202 *et sq.*).

Quelques conseils : « Si Patrice n'a pas fini de déjeuner en même temps que les autres, il n'a qu'à prendre son assiette avec lui, finir dans un coin et la rapporter ensuite tout seul à la cuisine. S'il ne veut pas manger tout, il n'a qu'à la laisser, cela ne gêne personne… »

Ces conseils peuvent se traduire par quelques autres croyances éducatives parentales :

« Laissons-le faire, attendons qu'il se rende compte par lui-même… » D'où le renforcement de cet absolu de pensée si fréquent chez certains parents : on ne doit pas être conflictuel avec un enfant.

Nous terminerons par le cas de Didier (10 ans) : « Retard scolaire considérable… » (p. 215 *et sq.*).

Alors qu'il ne fait aucun doute que l'évaluation de départ du potentiel et les séances de soutien et revalorisation ont dû participer pour beaucoup au « déblocage » et à l'actualisation des capacités, tout est ramené au dogme avec cette conclusion aberrante : « À notre avis, le pronostic social de Didier est bon, mais au point de vue sexuel, la puberté étant proche, Didier ne nous paraît pas capable, avec la mère qu'il a, de résoudre la question autrement que par l'homosexualité manifeste. Ceci dans le cas le plus favorable, car chez lui, l'homosexualité représente la seule modalité inconsciemment autorisée par son Sur-Moi, calquée sur le Sur-Moi maternel. »

➤ *Existe-t-il un déterminisme infantile ?*

Ce qui nous inquiète le plus dans toutes les affirmations de la psychanalyse de l'enfant, ce n'est pas tant les « conseils » qui sont vite réfutés par l'expérience quotidienne, mais la philosophie sous-jacente d'un déterminisme infantile, qui nous semble dangereuse.

Si moi, parent, j'adhère à cette hypothèse, je ne peux que rester impuissant devant l'évolution négative de mon enfant et je vais rapidement conclure à l'impossibilité d'agir ou d'éduquer de nouveau. Il me faudra alors faire appel aux autres, enseignants, éducateurs, pourquoi pas aux juges et surtout aux psy qui, eux, ont la clef pour résoudre ce passé déterminant. Jérome Kagan, professeur de psychologie à l'Université d'Harvard nous met en garde contre une telle croyance : « Admettre naïvement ces hypothèses suppose de croire qu'il existe un lien de continuité entre le passé et le présent et que la vie se présente comme une voie toute tracée du premier jour jusqu'au dernier[6]. » Et l'auteur de réfuter ce qu'il qualifie d'idée reçue en psychologie : non, les premières expériences ne créent pas la structure de base de la pensée et du comportements futurs de l'enfant.

Nous retrouvons là les préoccupations de la psychologie cognitive pour qui le comportement n'est pas déterminé mais est le moteur de l'évolution par sa faculté constante à l'accommodation, donc à l'équilibration majorante pour reprendre la terminologie piagétienne. Ainsi,

---

6. J. Kagan, *Des idées reçues en psychologie*, Paris, Odile Jacob, 2000.

pour reprendre les propos de R. Feuerstein, le « médiateur », c'est-à-dire le parent dans notre hypothèse, sait que son comportement (l'éducation selon moi) peut influer la réalité de l'enfant, il renoue désormais avec une attitude active modifiante (éducative et constructive) et en termine avec l'attitude passive acceptante (due au déterminisme de certaines psychologies).

Et je ne peux qu'adhérer à cette conclusion de J. Kagan : « Personne ne conteste que les expériences de la première enfance exercent une influence. Ce qui est plus discutable, c'est de prétendre au caractère immuable de ces premières structures. Ceux qui croient (c'est bien le problème des futures croyances parentales qui nous pose question) en l'existence de cette influence estiment que certaines de ces attentes ou réactions affectives précoces ne seront ni transformées ni éliminées par les événements ultérieurs. C'est ce point précis qui est contestable[7]. » L'éducation, je le répète encore, est bel et bien le moyen parental, non pas de détruire l'enfance, mais de réajuster constamment l'expérience de l'enfant avec la réalité.

➤ *L'adolescence est-elle vraiment en danger ?*

En poursuivant ma lecture de *La Cause des adolescents* de F. Dolto, je comprends immédiatement pourquoi nous, parents, sommes si fortement influencés par les thèses classiques de l'adolescence. Après les « il est fragile », « il doit être », sont aussitôt traitées les pathologies lourdes. Regardons les intitulés des chapitres :

Chapitre 10 : « Les suicides d'adolescents : une épidémie occultée ».

---

7. J. Kagan, *ibid.*

Chapitre 11 : « À chacun sa drogue : faux paradis et pseudo-groupe ».

Chapitre 12 : « Échec à l'échec scolaire ».

Nous voyons le danger : si les lois de l'adolescence et les exigences éducatives qui en découleraient ne sont pas respectées, il y aura pathologie ! Si le parent est déficient, l'enfant risque le suicide, la dépendance aux produits toxiques, l'échec scolaire !

➤ *Les problèmes scolaires signent-ils vraiment un malaise profond ?*

« Ainsi très souvent les troubles scolaires sont le signe d'un profond malaise de la personnalité de l'adolescent en difficulté lié aux données de sa relation avec ses parents[8]. » Une seule issue pour les parents, il leur faut revoir leur mode relationnel, cause unique des problèmes scolaires…

Idem pour les enseignants : « La déperdition scolaire diminue dès que l'élève est encadré solidement par des adultes qui s'occupent de lui avec un lien personnel et affectif… » (p. 141). Et plus loin cette affirmation : « Il importe d'adapter l'école aux enfants. » Pourquoi pas pour certains dont le lieu de contrôle (attribution des difficultés) est externe, mais qu'en est-il du plus grand nombre qui souffrent d'une carence de *locus of control* interne (refus d'attribuer ses échecs ou dysfonctionnements à sa propre responsabilité) ? « Quand un individu souffre d'un règlement, eh bien, c'est que c'est un mauvais règlement, parce qu'un bon règlement doit être accepté par tous… » (p. 144). Changer le système éducatif et notre adolescent « non performant » sera meilleur !

---

8. F. Dolto, *La Cause des adolescents*, Paris, Pocket, 1985, p. 140.

Je me rappelle cet enfant de 12 ans très caractériel : c'est vrai, il avait souffert à l'âge de 5 ans du décès accidentel de son père. Quatre années de psychothérapie et toujours les mêmes dysfonctionnements quant à son inadaptation scolaire. La cause, le pourquoi étaient compris mais pour quels résultats dans la réalité ? Quand il fut question de cette fameuse réalité avec son cortège d'exigences éducatives (pour le parent unique) et de contraintes quotidiennes pour l'enfant, nous sommes rapidement devenus le « méchant » qui ne comprenait rien à la profonde dépression sous-jacente de l'enfant.

➤ *La démotivation scolaire est-elle synonyme de précocité ?*

Récemment, lors d'un débat télévisé, une nouvelle piste était offerte aux parents : les dysfonctionnements d'apprentissage sont souvent le révélateur d'un potentiel ou QI au-dessus de la moyenne, d'un élève surdoué inhibé par les contraintes d'un système éducatif vieillot. Les rares surdoués que j'ai rencontrés (je ne parle pas des petits génies pathologiques) peuvent s'adapter au monde scolaire actuel la plupart du temps (même s'il existe bon nombre d'aberrations, nous en convenons). La véritable intelligence est bien là : cognitive (avec son potentiel opératoire) et conative (avec son équilibre affectif, ou intelligence « émotionnelle ».) Lorsque l'une des deux composantes est absente, ce n'est pas que l'enfant est « surdoué » ou que l'école est inadaptée, c'est qu'il est lui-même opposé à la contrainte scolaire, je pourrais presque dire que c'est lui qui est inadapté !

La première confrontation que tout parent doit donc tenter d'avoir devant certaines de ces pensées « conditionnées » (parce que culturellement apprises et répétées) est la suivante :

La démotivation scolaire ne cache pas forcément un problème psy, pathologique. La réponse est quelquefois plus simple parce que cognitive (prise de conscience de ses dysfonctionnements opératoires et émotionnels) et comportementale (interaction nécessaire de l'éducation parentale « adaptée »).

Nous ne dresserons pas la liste des injonctions de « conduites maternelles » à avoir. Il est certain que tous ces propos ne rendent guère lucide, mais créent irrémédiablement des croyances sur ce qu'il faut faire ou ne pas faire en tant que parent. Les écrits de F. Dolto génèrent, selon nous, de nombreuses pensées irrationnelles chez les parents assidus de telles lectures (et chez beaucoup d'autres, victimes des textes vulgarisés par les magazines ou émissions de télévision) :

- Les comportements problématiques d'un enfant ou adolescent doivent être compris à la lumière de leur signification et non dans leur réalité symptomatique.
- Le « bon sens » doit être exclu et il faut l'interprétation du spécialiste.
- L'enfant ou l'adolescent sont fragiles, il faut donc éviter tout conflit pour qu'ils s'épanouissent.
- Toute attitude conflictuelle parentale est à bannir.
- L'enfant ou l'adolescent est victime de forces inconscientes (théorie freudienne de la sexualité).
- On doit comprendre l'impact parental avant de mettre en cause la responsabilité de l'enfant ou de l'adolescent.

Au lieu de :

- Communiquer avec lui sur ses problèmes, l'aider à relativiser, élargir son champ mental, accepter les conséquences de ses actes.
- La confrontation parentale est souvent nécessaire et indispensable pour arrêter les passages à l'acte chez cer-

taines personnalités offensives ou intolérantes aux frustrations.

• L'enfant ou l'adolescent ne sont pas responsables de tout mais hormis les cas « lourds » où ils sont victimes d'abus et de sévices, ils restent auteurs de leurs actes pour un meilleur équilibre entre leur réalité et la réalité.

➤ *Françoise Dolto est-elle incomprise ?*

J'appartiens à l'approche cognitive et comportementale, je peux donc être soupçonné, à juste titre, d'interprétation subjective de l'œuvre de Dolto, victime d'une pensée trop vulgarisée et de mon analyse trop réductrice. Sans doute. Pour être sûr de ne pas ajouter des croyances aux croyances, j'ai donc relu avec intérêt la dernière analyse en date d'un psychologue psychanalyste doltoïen au-dessus de tout soupçon, J.-C. Liaudet[9]. Ses propos ont confirmé mes interprétations, j'avais simplement omis d'autres absolus de pensée tels que : « Les parents n'ont aucun droit vis-à-vis des enfants, mais seulement des devoirs. »

À propos du tout-petit : « Il suffit parfois de quelques semaines pendant lesquelles la mère "oublie" sa grossesse pour que l'enfant risque de devenir psychotique », « L'âge du nourrisson ne dure que quelques mois, en moyenne de trois à huit, mais il est décisif. »

À propos de la petite enfance : « Si la mère lui laisse tenter ses expériences sans manifester trop d'anxiété et sans le frustrer, il sera spontanément propre et régulera son alimentation entre deux ans et deux ans et demi », « Interdire de descendre seul l'escalier n'a de sens que si l'enfant n'est pas capable de le faire seul. S'il arrive un jour qu'il le descende

9. J.-C. Liaudet, *Dolto expliquée aux parents*, Paris, éd. de L'Archipel, 1998.

malgré tout et avec succès, il ne serait pas bon de lui en faire le reproche ; ce serait dénigrer une grande victoire que l'enfant vient de faire dans sa progression vers l'autonomie, en bravant l'interdit », « Laisser l'enfant faire ses progrès aux rythmes qui sont les siens est une des clés de l'élevage des enfants », « Il faut donc laisser l'enfant aussi libre que possible, sans lui imposer des règles superflues. Un exemple : dès l'âge de trois ans, un enfant peut avoir une liberté totale pour la nourriture et les vêtements », « L'Œdipe tardif réussit mal à l'école ».

« L'adolescent [...] il est donc important d'être particulièrement attentif, dans le dialogue, sans imposer ni règles ni comportements. Il est trop tard pour cela. »

Être parent : « Il ne suffit pas de se former ou s'informer pour acquérir des compétences de parents... être parent, c'est marcher à l'intuition... », « Pour l'enfant, l'éducation est toujours mauvaise », « Lorsque l'enfant trouve ses parents parfaits, ces derniers doivent s'inquiéter... pour F. Dolto, leur cas est clair : ils sont en mauvaise santé », « L'adaptation de l'enfant à l'école actuelle n'est pas le signe de son bon équilibre psychique ». Sans commentaires.

Nos propres croyances

➤ *Nos pensées automatiques*

Puisque nous acceptons désormais de contester certaines affirmations de la psychologie classique, il nous faut remettre en cause nos propres interprétations ou « psychologisations » et reconnaître que toutes nos croyances nous arrangeaient bien ! La première démarche consiste à ne plus banaliser le quotidien.

La maison au quotidien

Vous observez	Vous pourriez penser	C'est peut-être le signe
Il n'aide pas aux tâches ménagères.	Il est encore jeune pour participer.	Qu'il aime se faire servir.
Il désobéit constamment.	Il n'aime pas être dominé.	Qu'il veut vous dominer.
Il tarde pour se coucher.	Il n'aime pas la nuit.	Qu'il refuse tout horaire.
Il aime la compagnie des adultes.	Il est très mature.	Qu'il refuse le statut d'enfant.
Il s'intéresse aux « choses sérieuses ».	Il est curieux.	Qu'il devient un « enfant-savant ».

L'école au quotidien

Vous observez	Vous pourriez penser	C'est peut-être le signe
Il n'aime pas l'école.	Il a une école moyenne.	Qu'il est intolérant aux frustrations.
Il apprécie peu les enseignants.	Il apprécie les bons.	Qu'il méprise les moins bons.
Il annule une sanction.	Il ne fonctionne pas aux punitions.	Qu'il veut l'impunité.
Il est bon dans certaines matières.	Il est plus motivé dans ces disciplines.	Qu'il travaille là où il est bon.
Il apprend mal les leçons.	Il a un problème de mémoire.	Qu'il mémorise ce qu'il aime.
Il écrit mal.	Il n'est pas adroit.	Qu'il bâcle son travail.

Il oublie toujours quelque chose.	Il manque d'attention.	Qu'il ne se concentre que motivé.
Il se heurte avec les copains.	Il a du caractère.	Qu'il ne s'entend pas avec les autres.
Il n'a pas de meilleur ami.	Il est solitaire.	Qu'il est rejeté pour son agressivité.
Il refuse la cantine.	Il ne mange pas n'importe quoi !	Qu'il préfère une « carte » aux menus !

Les loisirs au quotidien

Vous observez	**Vous pourriez penser**	**C'est peut-être le signe**
Il change d'instrument de musique.	Il veut essayer autre chose.	Qu'il évite une contrainte (le solfège) ?
Il aime changer de loisirs.	Il est curieux.	Qu'il décide d'arrêter quand il veut.
Il manque de régularité.	Il n'aime pas la routine.	Qu'il refuse les règles.
Il n'aime pas son entraîneur.	Il a un prof rigide.	Qu'il évite l'autorité.
Il ne sait pas jouer longtemps avec la même chose.	Il est créatif.	Qu'il se lasse très vite.
Il demande toujours du nouveau.	Il est passionné par tout !	Qu'il ne supporte pas de s'ennuyer.

➤ *Les croyances que nous nous forgeons*

Les pensées, nous l'avons vu dans les exemples ci-dessus, sont le plus souvent des interprétations du réel, elles surviennent immédiatement dans l'actualité des événements. Les croyances, elles, sont plus profondes et signent des certitudes que nous avons construites avec notre vécu, nos connaissances.

Les croyances qui favorisent la prise de pouvoir de l'enfant tyran

- L'enfant peut avoir beaucoup de mal avec les contraintes de la réalité, surtout s'il est anxieux ou dépressif ou s'il a un « problème personnel ».
- Les demandes d'aide ménagère sont un abus de pouvoir parental.
- Une éducation qui exige et contraint est forcément rigide.
- L'enfant est naturellement bon.
- La vie avec un enfant ne doit pas être conflictuelle mais harmonieuse.
- L'enfant décide d'aider à l'âge de raison.
- Le respect d'autrui et l'acceptation du réel viennent progressivement avec l'âge.
- Le bien-être matériel et affectif qui entoure l'enfant ne peut que lui apporter du bonheur.
- L'autonomie doit être le but premier de toute éducation.
- Les comportements d'opposition systématique sont normaux chez l'enfant.
- Contester l'autorité, c'est affirmer son individualité.
- Un enfant rebelle s'arme pour l'avenir.

➤ *Après la prise de conscience, l'épreuve du réel*

Confronter son système de pensées et de croyances est une étape incontournable pour se dés-endoctriner. La prise de conscience d'automatismes de pensées est un premier pas important vers le déconditionnement. C'est l'étape « cognitive », la reconnaissance de nos cognitions ou postulats de base, des scénarios vécus ou appris. Elle n'est pas suffisante, en tant que psychologue de l'approche dite cognitivo-comportementale, je sais qu'il faut aussi expérimenter, pratiquer, faire du comportemental pour mettre les nouvelles prises de conscience ou pensées à l'épreuve du réel. Je serai bien sûr taxé de pragmatisme et d'utilitarisme mais je le prends plutôt pour un compliment. Même si la fin ne justifie pas toujours les moyens, il est bon de vérifier dans la réalité si la nouvelle approche éducative que je souhaite est validée par les faits. Devant les attitudes de l'enfant tyran, devenir un parent conflictuel est-ce une attitude appropriée ? Vous avez reconnu que votre enfant est roi et tyrannique, vous avez relativisé beaucoup de pensées sur l'éducation en général, vous avez identifié vos croyances, vous pouvez maintenant agir ! C'est l'objet du prochain chapitre.

CHAPITRE 11

N'ayez pas peur d'être conflictuel

> « Celui d'entre nous qui sait le mieux supporter les biens et les maux de cette vie est à mon gré le mieux élevé ; d'où il suit que la véritable éducation consiste moins en préceptes qu'en exercices. »
>
> Jean-Jacques ROUSSEAU.

Nous l'avons vu dans les chapitres précédents, il est déterminant de bien réfléchir au possible endoctrinement mental que provoquent de nouvelles croyances. Avec le modèle « ABC » d'A. Ellis, j'ai tenté de vous amener à retrouver plus d'objectivité, par la prise de conscience des pensées automatiques et surtout par leur « falsification ». En psychologie, comme dans beaucoup d'autres domaines, les affirmations font la loi comme pour mieux prouver leur sérieux. Cependant, pour être plus « scientifique », une affirmation doit vite redevenir une hypothèse et se doit d'être évaluée, contestée, confrontée à d'autres hypothèses et devenir elle-même « falsifiable » : tel auteur ou penseur me propose telle donnée, je me dois de la mettre à l'épreuve des autres pensées ou informations que je peux obtenir sur le sujet. Reconquérir l'autorité que l'enfant tyran nous a prise exige que nous puissions contester les croyances qui inhibent nos actions.

La permissivité éducative n'est pas naturelle mais peut s'apprendre petit à petit par ce que nous entendons, ce que nous lisons. Récemment, je feuilletais deux magazines, deux hebdomadaires bien connus. En quelques minutes, j'apprends plusieurs choses essentielles. Sous le titre alarmant « Le triste retour de la fessée », une journaliste relate qu'une cour d'appel canadienne confirme une loi centenaire permettant le recours à la fessée et qu'elle conseille aux parents d'user raisonnablement de la force pour discipliner un enfant. Et la journaliste de conclure : « Lorsqu'on connaît les effets désastreux d'une éducation répressive, on regrette qu'une décision de justice puisse ainsi cautionner d'éventuels débordements de violence. » Si je ne suis pas un parent alerté, je peux très bien faire l'amalgame entre la fessée, l'éducation répressive et la violence.

Lorsque je lis, le même jour, les déclarations de M. Rufo, pédopsychiatre, je peux là aussi en tirer de trop rapides conclusions : « Les familles ont fait des progrès épatants, elles sont de plus en plus sensibilisées au développement psychique de l'enfant. Vous ne trouvez pas que c'est très courageux d'aller voir un pédopsychiatre ? Avant on criait : "Montez dans vos chambres !" Les adultes se comportaient comme des éducateurs, aujourd'hui, ils agissent comme des parents attentifs... » Je peux donc apprendre, en tant que parent, que la compréhension doit supplanter l'éducatif.

Devenez éducateur !

Mon propos est bien de redonner le statut d'éducateurs aux parents et non de psychologiser l'éducation. Le spécialiste ne doit intervenir que lorsque l'hypothèse éducative pure a été vérifiée, le bon soin après le bon sens. La permissivité génère l'enfant tyran, le retour de l'éducation et de l'autorité suppose le rétablissement d'interdits éducatifs, de la loi parentale en général. L'autorité, nous allons le voir, est avant tout exigence mais aussi conflictualité : interdire certes mais aussi se donner les moyens de réaffirmer la loi quand elle est transgressée et donc de pouvoir dire, sans émotions : « Montez dans vos chambres ! »

Est-ce à dire que je défends la bonne fessée ? Celle-ci serait-elle la réponse adéquate pour calmer les enfants tyrans ? Non, car la violence révèle l'impuissance, elle signe aussi l'état émotionnel que provoquent les enfants tyranniques. Face à la violence de la toute-puissance infantile, la colère est le plus souvent l'arme favorite du parent. Je l'ai souligné au chapitre 9, cette colère traduit non seulement l'impuissance éducative mais des pensées irrationnelles sur ce que « doit » être l'enfant et sur ce que « doit » faire le bon parent.

➤ *Tintin bourreau d'enfants ?*

« Abdallah !... allons, plus de bêtises maintenant !... viens vite !... Il a fermé la porte à clef !... Au nom du ciel, Abdallah, ouvre cette porte, vite ! » Le petit Abdallah l'ouvre enfin après négociation et s'échappe aussitôt, Tintin le poursuit, le rattrape. Le petit hurle de plus belle et finalement mord la main de Tintin : « Espèce de petite peste, veux-tu te taire oui ou non ? » « Non ! » réplique Abdallah. La bande dessinée parle d'elle-même, Tintin prend le gamin dans une pièce et lui donne une fessée. Il ressort avec un *« ah, ah !... »* satisfait, alors que l'enfant reprend les menaces, une main sur la fesse malmenée : « Tu es un méchant, na !... et je le dirai à mon père !... et mon père est émir !... il te donnera la bastonnade... Et puis il te fera empaler ![1] »

---

1. Hergé, *Tintin au pays de l'or noir*, Paris, Tournais, Casterman, 1971.

Tintin a craqué, comme tous ceux qui se heurtent à l'opposition systématique, aux hurlements, aux menaces, aux désobéissances. Ce n'est certes pas la solution, ce n'est pas non plus le traumatisme annoncé. Parler de conflictualité est une tout autre affaire : le conflit n'est pas violence mais, au contraire, la synthèse d'une émotion parentale maîtrisée devant les exactions de l'enfant tyran avec de nouvelles stratégies éducatives.

Il faut bien connaître les différentes attitudes parentales avant de définir l'attitude conflictuelle.

Ce qu'il ne faut pas faire

Outre les attitudes que l'on pourrait qualifier d'émotionnelles, celles qui sont dictées par nos émotions instantanées et donc par nos pensées, attentes, demandes et exigences, nous, parents, avons tous pris certaines habitudes éducatives. Les attitudes parentales doivent être comprises dans leur interaction avec les dysfonctionnements de l'enfant. Si telle attitude de « maternage » sécurise l'enfant dans un contexte particulièrement stressant, il n'est pas question de se l'interdire. Une attitude « autoritaire » peut s'avérer salutaire devant une opposition démesurée mais se révéler tout à fait inadéquate devant d'autres comportements négatifs. S'il n'existe pas une attitude parentale appropriée unique mais diverses réponses devant telle ou telle difficulté, nous serions tentés de penser l'inverse en ce qui concerne l'enfant tyran.

S'il est roi, nous l'avons compris, cela signifie qu'il vient de franchir allègrement toutes nos tentatives de reprise de pouvoir. L'important est non seulement de répondre éducativement à tel ou tel passage à l'acte mais aussi de stopper certains comportements aberrants ou de les prévenir dès la « première marche ».

Mais avant de proposer des attitudes parentales éducatives, revenons sur certaines croyances concernant l'obéissance, le dialogue enfants-parents, l'autorité.

➤ *L'obéissance, mère de tous les vices ?*

« Je considérais comme mon premier devoir de porter secours en cas de besoin et de me soumettre à tous les ordres, à tous les désirs, de mes parents, de mes instituteurs, de monsieur le curé, de tous les adultes et même des domestiques. À mes yeux, ils avaient toujours raison quoi qu'ils eussent dit. Les principes de mon éducation ont pénétré tout mon être [2]. » Cette réflexion fait froid dans le dos, surtout lorsque l'on sait que son auteur est le nazi Rudolph Hesse, commandant du camp d'extermination d'Auschwitz. De là à amplifier certaines croyances parentales comme « être conflictuel, avec un enfant c'est l'asservir » et « l'asservir c'est le rendre monstrueux », je signerai pour l'inverse : « laisser faire mon enfant c'est le rendre omnipotent » et « le rendre omnipotent est un pas vers le fascisme ».

➤ *L'attitude autoritaire*

Nul ne saurait nier qu'il existe des enfants maltraités et que le syndrome « Thénardier » est loin d'être vaincu. Des coups de baguette sur les paumes ouvertes de la main d'un enfant, en passant par la paire de gifles banalisée, il nous faut rester vigilant devant la terreur adulte même si elle me semble ne répondre qu'à quelques faits divers largement repris par

---

2. Cité par A. Miller, *C'est pour ton bien, op. cit.*

les médias parce que le plus souvent spectaculaires et pas forcément révélateurs de l'ambiance éducative de ce début de nouveau siècle. Je pense que nous sommes loin d'une maltraitance infantile banalisée, ou d'une philosophie éducative traditionnelle et pédophobe comme en témoigne ce texte : « Dites-lui d'aller chercher, puis de remporter vos bottes, vos souliers, votre pipe à tabac ; faites-lui transporter des pierres d'un endroit à un autre dans la cour. Il fera tout cela et s'habituera ainsi à l'obéissance[3]. »

Il ne faut pas confondre le discours sécuritaire actuel avec la nécessité de lutter contre la tyrannie infantile. Le besoin éducatif n'est pas une étape de plus vers la normalisation ou la répression. S'il est important de sanctionner, de stopper les attitudes omnipotentes infantiles, l'éducation ne peut être justifiée que lorsque l'amour parental ou l'amour tout court existe. La grande confusion que beaucoup d'auteurs entretiennent est cet amalgame entre la conflictualité et le rejet affectif, entre l'autorité parentale et l'autoritarisme. Devenir un parent conflictuel ne veut surtout pas dire que l'on adhère aux dogmes d'une éducation traditionnelle où l'enfance n'est vécue que comme un passage pour mieux s'intégrer dans l'ordre établi. Je l'ai déjà souligné, il était utile que les théories psychologiques fassent contrepoids devant l'absolutisme parental prégnant jusqu'à la moitié du XXe siècle.

Aujourd'hui, l'attitude autoritaire est de moins en moins courante mais elle existe encore. Les parents autoritaires enlèvent toute initiative, refusent tout dialogue à l'enfant qui n'existe que pour se conformer à des règles strictes, rigides, avec application de punitions démesurées (parfois corporelles)

3. Propos du pasteur C. G. Salzmann rapportés par A. Miller, *C'est pour ton bien*, *op. cit.*

si nécessaire. L'excès d'autoritarisme entraîne soit des sentiments d'anxiété, soit des comportements de rébellion chez l'enfant. Ces conséquences sont pénibles même si elles sont plus facilement traitables que les comportements d'intolérance aux frustrations provoquées par les attitudes parentales qui suivent. Il ne faut pas confondre les réactions offensives d'un enfant ou d'un adolescent qui tente de survivre à un quelconque despotisme parental avec la révolte constante de l'enfant tyran devant toute frustration ou acte d'autorité. Je l'ai maintes fois rappelé, l'opposition à la tyrannie parentale des siècles passés était des plus justifiées. Il s'agissait bien de refuser l'obéissance, de contester l'autoritarisme parental tout-puissant pour exister. L'identité du tout-petit ou de l'adulte en devenir était niée, bafouée et devait s'intégrer dans l'ordre naturel des choses, c'est-à-dire dans l'ordre socio-économique tout court.

➤ *L'attitude qui crée l'enfant tyran : l'attitude « permissive »*

Une définition : c'est avant tout l'absence de règles ou de contraintes éducatives. La philosophie éducative quotidienne est d'éviter le conflit et la frustration de l'enfant. Peu de règles de vie sont décidées et, quand il en existe, elles ne sont pas tenues, mais contredites par l'un des parents ou bafouées par leur auteur lui-même. Plus besoin d'évoquer la génération « 68 », la deuxième génération (« post-68 ») semble, elle aussi, s'inscrire dans cette volonté de procurer à ses enfants le maximum de liberté et de plaisir. Bien sûr, il est souhaitable, à moins d'avoir de profonds ressentis « sadiques », de tout faire en tant que parent pour donner à l'enfant sécurité et bonheur. Par contre, l'erreur vient le plus souvent d'une confusion entre bonheur et absence de contraintes ou règles. Tout est fait pour l'enfant et le voir « heureux » procure un tel plaisir !… Mais cette équation, lui donner un maximum de bonheur le rendra heureux, se révèle erronée devant l'insatiable appétit de plaisir de l'enfant tyran. Bien vite, en réponse à notre tentative de lui apporter beaucoup de satisfaction, il nous donne l'ordre de toujours lui procurer du plaisir. Être conflictuel, c'est d'abord s'opposer à son principe de plaisir tout-puissant.

Êtes-vous un parent permissif ?

Un tel questionnaire n'est pas sans risques ! L'amalgame est tentant de n'y voir que des règles éducatives « archaïques », preuve d'une philosophie « rigide » sous-jacente. Resituons ce questionnaire dans le contexte de notre essai : les enfants tyrans deviennent despotes et tyranniques parce qu'ils ne sont jamais arrêtés dans leur quête incessante du plaisir. Nous devons prendre conscience que ce que nous qualifions de petites faiblesses éducatives sont pour lui de véritables autoroutes vers l'omnipotence. L'enfant tyran ne peut pas accepter la réalité et ses contraintes si l'espace familial, véritable lieu de répétitions et d'acquis, est vide de toute règle.

Bien entendu, ces « règles » sont d'abord explicitées, argumentées. C'est la grande différence avec les normes parentales d'antan : la règle pour la règle… « on ne parle pas à table… », « on n'interrompt pas les parents… ». Les règles envisagées sous-tendent de véritables valeurs sociales de respect d'autrui, d'engagement, d'acceptation de « routines » élémentaires du quotidien. Rien à voir avec un terrorisme « normatif ». Il ne s'agit pas d'évaluer nos convictions éducatives mais de repérer quotidiennement là où l'enfant expérimente ou non ce difficile apprentissage du principe de réalité.

Êtes-vous permissif ?

Encerclez le chiffre correspondant à la fréquence de certaines réponses parentales.

1 = jamais. 2 = rarement. 3 = souvent. 4 = la plupart du temps.

1. Demandez-vous des tâches « ménagères » quotidiennes à l'enfant ? 1 2 3 4

2. Exigez-vous un rythme quotidien pour le travail scolaire ? 1 2 3 4

3. Les heures de repas sont-elles habituelles ? 1 2 3 4

4. Le « coucher » intervient-il à des heures régulières ? 1 2 3 4

5. S'il refuse ce qu'on lui demande, existe-t-il des conséquences ? 1 2 3 4

6. Existe-t-il un système d'argent de poche ? 1 2 3 4

7. Certains loisirs sont-ils envisagés comme récompenses ? 1 2 34
(telle sortie au cinéma est liée à tel comportement familial ou scolaire)

8. Refusez-vous souvent les demandes d'achats spontanés ? 1 2 3 4
(dans une « grande surface », en ville, besoin urgent d'argent, etc.)

9. Gérez-vous avec l'enfant les sommes d'argent acquises s'il est jeune ou avez-vous un « droit de regard » s'il est plus vieux ? 1 2 3 4

10. Votre enfant s'inscrit-il dans une activité de loisir pour plus d'un an ? 1 2 3 4

11. Êtes-vous déterminant dans le choix des loisirs familiaux ? 1 2 3 4

12. Les règles de « sortie » sont-elles négociées à l'avance ? 1 2 3 4

13. Vérifiez-vous le travail scolaire fourni au moins une fois par semaine ? 1 2 3 4

14. Contactez-vous les enseignants dès qu'il y a doute quant au travail effectué ? 1 2 3 4

15. Donnez-vous des conséquences ou négociez-vous si désobéissance ? 1 2 3 4

16. Intervenez-vous s'il manifeste des comportements « hors norme » ? 1 2 3 4
(pas question de refuser toute originalité mais nous entendons par « hors norme », les comportements qui sortent réellement de l'ordinaire : cheveux teints style « punk », garder un anorak dans un living-room surchauffé, porter la « casquette » en mangeant, etc.)

17. Exigez-vous de lui une hygiène corporelle quotidienne ? 1 2 3 4

18. Obtenez-vous un rangement hebdomadaire de ses « affaires » ? 1 2 3 4

19. Interrompez-vous la communication s'il dépasse les limites ? 1 2 3 4

20. Vous sentez-vous « détendu » dans votre vie quotidienne avec lui ? 1 2 3 4

Si le total de vos points est inférieur à 40, il existe un indice fort d'une interaction négative entre votre attitude parentale et l'omnipotence, l'intolérance à la frustration de votre enfant.

L'attitude éducative ou conflictuelle

➤ *Réinclure la frustration au quotidien*

L'enfant intolérant aux frustrations voit son lien au réel perturbé, il lui faut s'accommoder de nouveau pour un mieux-être et c'est dans la réalité qu'il doit expérimenter l'absurdité de sa croyance première « plaisir immédiat = plaisir ou satisfaction à moyen et long terme ». Certaines attitudes éducatives favorisent l'acceptation de l'inévitable frustration à court terme. Tout ce qui est organisation du milieu ne doit pas être écarté. Donner un « cadre » de vie avec ses nécessaires routines ne peut que structurer l'enfant.

Exigez des horaires pour les repas

Quand il n'y a pas d'horaires réguliers, quand l'heure des repas découle du « quand on a faim », l'enfant prend l'habitude de se nourrir n'importe quand et les « goûters » deviennent des mini-repas. Bien sûr, quand c'est « l'heure », nous sommes étonnés et nous nous plaignons du manque d'appétit de l'enfant. Sans opter pour un comportement de chef de gare, il est souhaitable de donner des séquences de temps régulières. Elles favorisent non seulement l'émergence de repères mais incitent surtout l'enfant à comprendre que se nourrir n'est pas uniquement la satisfaction de sa faim mais aussi le partage en commun d'un moment privilégié. Toujours ce lien soi-autrui.

Fixez l'heure du coucher

Là encore, si le « flou » règne, ne soyons pas surpris quand l'enfant est tonique ou revendicateur et qu'il arrive à reculer constamment « l'heure » du coucher. Les enfants tyrans obtiennent bien souvent ce qu'ils veulent, regarder la télévision, gagner du relationnel, jouer tardivement. Les conséquences ne se font pas attendre : le gain de sommeil n'est pas régulier, des problèmes d'endormissement peuvent surgir, des somnolences apparaissent (particulièrement à l'école) et l'enfant tente de « tenir » jusqu'à l'effondrement. Souvenez-vous de ces enfants « noctambules » qui s'écroulent de sommeil en plein jour.

Des routines ou des tâches ménagères

Nous employons le terme « routine » à bon escient : en effet, les parents permissifs n'établissent jamais de règles ou d'exigences régulières. L'enfant « aide » quand il le veut bien, « il met le couvert de temps en temps… », « parfois il organise un repas… ». Devant nos questionnements sur les tâches exigées pour participer à la vie familiale, nous n'obtenons rien si ce n'est le fameux « au moins, il fait son lit… ». À l'heure des « couettes », l'enfant ne donne donc aux autres (c'est de cela qu'il s'agit et non d'une volonté esclavagiste d'exploitation !) que… soyons large… une minute trente par jour ! Nous pourrions ainsi lister à l'infini les absences d'exigences et de contraintes parentales. Ce qui est grave : l'absence de lois engendre à coup sûr une extrême sensibilité à la frustration, au rythme imposé, aux contraintes, aux passages obligés, à la liberté restreinte… Faites le parallèle avec la vie quotidienne scolaire, puisque c'est souvent à l'école que l'enfant tyran marque son refus des contraintes et du principe de réalité.

De Cosette à l'enfant tyran

Est-ce si dur de participer à la vie de la maison ? De petites tâches peuvent être demandées comme mettre le couvert, donner à manger aux animaux, mettre le linge au sale, ranger sa chambre pour les plus petits ou laver son linge, tondre une pelouse, laver une voiture, faire des courses, organiser des repas pour les plus grands. Ces services rendus doivent l'être non pas pour briser le caractère de l'enfant en le rendant servile mais pour qu'il comprenne bien que faire non seulement pour soi mais aussi pour les autres est un lien social inévitable. Souvent l'enfant tyran est désarçonné devant certaines questions.

Le thérapeute. – Qu'as-tu fait pour les autres cette semaine ?

Éric, 12 ans, enfant tyran en passe de redoubler sa sixième, trois fois diagnostiqué « précoce » (il n'aura plus qu'à retripler !). – Quels autres ?

Le thérapeute. – As-tu aidé tes parents, ta mère… pour les repas, le rangement, le linge ?

Éric. – Mais c'est à ma mère de le faire !

Le thérapeute (je sais qu'il habite une maison avec un grand jardin, nous sommes en automne). – Et les feuilles à ramasser sur la pelouse ?

Éric. – Mais c'est à mon père de le faire !

Le thérapeute. – Mais toi, tu t'occupes bien de quelque chose ! Le lave-vaisselle peut-être ?

Éric. – Non, ça c'est ma sœur !

Le thérapeute. – Tu ne fais rien pour les autres !

Éric. – Mais je suis un enfant !

Soyez précis dans vos exigences

• Proposer des contrats pour le temps alloué aux études, aux loisirs, à la télévision.

• Ne pas permettre l'arrêt d'un engagement (sport par exemple) sans que l'enfant soit allé au bout d'un cycle complet.

• Établir une liste de tâches quotidiennes incontournables (ranger la chambre, le linge, participer au nettoyage d'une pièce de vie commune, aider au jardin, etc.). Négocier ensuite un véritable contrat pour chaque semaine (temps d'étude, réalisations) avec les éventuelles récompenses ou « pénalités ».
• Ne pas banaliser le scolaire, c'est souvent là, parce qu'il est brillant, que l'enfant tyran manipule l'adulte puisque les résultats sont plus souvent dus à son talent qu'à un effort.

Un travail scolaire régulier à la maison

S'il a pris le pouvoir, il n'est pas question de demander à l'enfant tyran de se mettre au travail de telle à telle heure. Il décide du moment et du « lieu » pour « travailler » : c'est le plus souvent après une période de satisfaction ou de plaisir : jeu, télévision, rencontre avec des amis. Le « contexte » choisi est bien sûr une pièce le plus souvent « commune », avec des sollicitations possibles, un poste de télévision à bonne distance et le téléphone à portée de main lui aussi. Sachons donc lui imposer un temps et un lieu de travail quotidiens et ne tombons pas dans son fameux « je n'ai rien à faire pour demain ». Imposons-lui un temps d'apprentissage ou de révision qui corresponde à son âge et au niveau de sa classe. Il doit s'habituer à un rythme et non créer « son » rythme qui est de ne se contraindre que lorsqu'il n'y a plus d'échappatoire. Travailler régulièrement chaque jour participe de cette lutte contre le « je fais ce que je veux ». L'enfant intégrera aussi progressivement cette nouvelle loi pour lui jusque-là inconnue : la frustration à petites doses est beaucoup plus supportable que la masse de travail que réclament les contraintes accumulées.

Contrôlez sa scolarité

• S'il est jeune, vérifier régulièrement l'état du cartable, du petit matériel d'école.
• Vérifier s'il a bien appris une leçon ou effectué un devoir, désapprouver dès qu'il est « hors norme ».
• Rencontrer régulièrement les enseignants pour vérifier la réalité scolaire de l'enfant et pour évaluer les changements de comportement et d'attitude à court terme.

Lui montrer qu'accepter les contraintes diminue les frustrations à moyen terme

• Ne pas ranger régulièrement sa chambre exigera de bonnes heures de nettoyage plus tard…
• Éviter d'apprendre une leçon aujourd'hui accumulera les lacunes pour un futur « rattrapage » pendant un dimanche, des vacances…
• Différer un devoir jusqu'à la fin d'un week-end ou des vacances donne de la culpabilité pendant les « loisirs ».
• Négliger telle matière scolaire l'obligera à y retourner dans le futur…
• Se disperser dans des activités ou des loisirs l'empêche d'exceller dans l'un d'entre eux…
• Ne rien faire maintenant, c'est le risque de ne pas choisir la profession idéale ou « rêvée » plus tard…
• Enfin, contourner toute frustration majore toutes les contraintes futures de la réalité, d'où une fragilité qui pourrait devenir pathologique.

Savoir sanctionner

Petites corvées et pertes de privilèges

(Petites) corvées	(Petites) pertes de privilèges
— Nettoyer la salle de bains. — Sortir les poubelles. — Vider le lave-vaisselle. — Passer l'aspirateur dans la chambre. — Plier le linge. — Passer l'aspirateur dans la voiture. — Mettre la table pour le petit déjeuner. — Faire les courses. — Etc. *Chez vous* — — —	— Moins d'heures de télévision. — Pas de magazine pour jeunes pendant une semaine. — Pas de choix personnel pour le programme TV. — Pas de vélomoteur pendant un jour. — Interdiction d'écouter des CD pendant un jour. — Aller se coucher une heure plut tôt. — Pas de jeux à l'ordinateur pendant un jour. — Pas de sorties le week-end. — Etc. *Chez vous* — — —

D'après J. Peeters, *Les Adolescents difficiles et leurs parents,* Paris, éd. De Boeck et Belin, 1997.

➤ *On ne discute plus !*

Je ne suis plus un bébé !

Pour E. Zarifian, l'autorité doit tenir compte de l'âge de l'enfant. E. Zarifian précise non sans humour qu'on « impose » au tout-petit, qu'on « propose » au plus grand et qu'on « compose » avec l'adolescent. Si je suis entièrement d'accord avec le fait que l'on peut imposer dès la toute petite enfance, il me semble que cela est vrai pour tous les âges. Bien souvent, ce qui choque le jeune enfant entre 5-6 et 12-13 ans, c'est précisément qu'on puisse encore exiger de lui, lui poser des interdits comme aux plus jeunes. Certes, il est bon, selon le potentiel de compréhension de l'enfant, d'expliquer certaines règles, d'argumenter certaines décisions, il ne peut que mieux en saisir la justesse. En revanche, il n'est pas interdit de parfois interdire sans explications : « je te demande cela parce que… » est très louable, mais le parent peut s'autoriser certaines injustices apparentes ou réelles.

Mme R. tente de réintroduire des règles de vie pour qu'Émilie, 10 ans, jusque-là petite reine, comprenne qu'elle ne peut plus désormais faire ce qu'elle veut. Elle me raconte les dernières décisions prises à la maison.

Mme R. – J'ai bien expliqué à Émilie que respecter l'heure du coucher était nécessaire pour la qualité de son sommeil. Je lui ai dit que si elle faisait tout un cinéma pour aller au lit, elle serait privée d'un temps de télévision dès le lendemain.

Le thérapeute (ravi de tant de fermeté !). – Eh oui, c'est utile de lui annoncer la conséquence si la règle est transgressée.

Mme R. – Je lui ai aussi demandé ce qu'elle pensait de notre projet de partir seuls sans elle, son père et moi pour des petites vacances d'avril. Je lui ai dit que nous avions besoin de temps ensemble, que c'est toujours bon pour un couple de se retrouver ! C'est la goutte d'eau qui a fait déborder le vase ! Elle nous en a fait voir de toutes les couleurs le soir même !

Le thérapeute. – Et lui dire tout simplement que vous allez partir seule avec votre mari, comme beaucoup d'autres, sans enfants ?

Mme R. – Il s'agit de la vie de famille, on ne peut pas tout lui imposer tout de même !

Justifier au maximum nos modes de fonctionnement, nos exigences et règles de vie, soit mais tout justifier, n'est-ce pas redonner à l'enfant tyran un droit de *veto* qu'il sait parfaitement exercer ? Tout est encore affaire de nuances ! « Proposer » à un enfant mature pour qu'il saisisse les « pourquoi des interdits » est tout à fait approprié mais faire de même pour l'enfant tyran le confirme dans son rôle de négociateur, au mieux, de censeur et de décideur au pire. Être conflictuel, c'est aussi déplaire, frustrer et, en tant que parents, redevenir de temps à autre un peu plus égoïstes. Et cela devient de plus en plus conflictuel à l'adolescence.

Je ne suis plus un gamin !

L'adolescent, lui, est le roi du verbe, de la négociation et de la contre-argumentation. Dialoguer avec lui, communiquer sa philosophie de vie est un projet des plus louables et il est bien vrai qu'il faut parfois accepter de « composer » pour éviter des conflits gratuits. Chacun fait un effort pour trouver un compromis de vie acceptable pour tous. Tu es adolescent avec tes qualités, tes incertitudes, tes découvertes et ton originalité, nous sommes parents et ne savons pas toujours te laisser une liberté de manœuvre pour que tu fasses la part des choses entre toi, nous, la réalité et ta quête d'identité. Pour l'adolescent tyran, le compromis signe toujours une compromission parentale, une défaite de l'autorité, une victoire du « je fais ce que je veux ! ».

Rémi, 17 ans, se plaint de l'« ambiance familiale ».

Le thérapeute. – C'est si dur ? Personne ne te tanne pour l'école, ta deuxième seconde au lycée n'est pas brillante… tu me parles d'un prochain permis de conduire pour avoir une voiture à 18 ans…

Rémi. – Vous ne comprenez rien ! Ce que je veux c'est qu'on ne me prenne plus pour un gamin !

Le thérapeute. – Tu n'es pas très vieux et tu en as fait des bonnes, tes parents peuvent douter !

Rémi. – Mais qu'ils me lâchent pour les sorties, les copains, je ne veux pas vivre leur vie ! Depuis qu'ils vous ont vu, c'est n'importe quoi, ils me demandent des trucs comme à un môme…

Le thérapeute. – Des trucs ?…

Rémi. – Faire des courses, vider le lave-vaisselle, laver ma tenue de sport, n'importe quoi…

Le thérapeute. – C'est peut-être pour que tu aides, que tu leur montres que vous vivez ensemble, que ce n'est pas chacun pour soi ?

La réponse cingle. – Les autres, je m'en fous, chacun sa m…

« Composer » ou imposer ? L'enfant tyran se doit de perdre son pouvoir, c'est l'objectif premier du rétablissement des exigences et des conséquences négatives s'il les transgresse. Négocier de nouveau nous paraît une arme trop faible au regard de son omnipotence. Mais imposer, c'est aussi être avant tout frustrant, donc conflictuel.

➤ *Renforcer le positif*

- Donner des défis réalisables à court terme pour que votre enfant remporte ses premiers succès.
- Féliciter votre enfant dès que vous êtes témoin d'un réel effort de sa part.
- Trouver des « renforcements » ou activités qu'il apprécie et qu'il pourra entreprendre si le travail est correctement fait (une balade avec des copains, une activité sportive, un achat de vêtement, un jouet…).

• Renforcer le moindre progrès dans une zone d'échec, ne pas attendre le « miracle » ou une trop longue échéance.
• Bien lui signifier les équations « plus tu travailles dur, plus tu progresses », et « plus tu partages les contraintes avec nous, plus nous sommes satisfaits ».
• Utiliser des schémas, des graphiques ou diagrammes pour l'aider à visualiser les efforts accomplis.

Exemples de renforcements positifs

Renforcements sociaux	**Renforcements non sociaux (récompenses)**
— Évaluer ensemble les progrès accomplis. — Exprimer son appréciation. — Sourire. — Acquiescer d'un hochement de tête. — Être attentionné. — Partager une activité. — Donner une tape amicale dans le dos. — Embrasser. — Écouter. — Faire l'éloge de l'enfant ou de l'adolescent (auprès d'un tiers). — Être ensemble. — Le faire participer à des décisions. *Chez vous :* — — —	— Recevoir de l'argent. — Choisir le menu d'un repas. — Téléphoner plus longtemps. — Regarder la télévision plus longtemps. — Se coucher plus tard. — Recevoir des amis à domicile. — Prolonger le temps libre après l'école. — Se promener dans le quartier. — Suivre des cours de permis de conduire. — Accompagner les parents au café ou au restaurant. — Louer des cassettes vidéo. *Chez vous :* — — —

D'après J. Peeters, *Les Adolescents difficiles et leurs parents,* Paris, éd. De Boeck et Belin, 1997.

➤ *Êtes-vous efficace ?*

Il convient tout d'abord de bien évaluer l'efficacité et les conséquences de nos réponses parentales. Une des façons les plus simples est d'observer sans cesse les résultats réels obtenus sur l'attitude de l'enfant. Si les comportements déviants ou offensifs cessent (nous évoquons toujours les dysfonctionnements majeurs chez l'enfant et non des petites phases d'opposition compréhensibles) mais réapparaissent à moyen terme, l'arrêt n'est pas la preuve d'une prise de conscience de l'enfant mais d'un « conditionnement » (les dysfonctionnements sont stoppés par crainte de…). Si les actions et dysfonctionnements se répètent inlassablement après les interventions adultes, nous sommes en présence d'un renforcement : l'enfant se voit stimulé, « renforcé » par l'attitude parentale. Au contraire, si les comportements s'atténuent dans le temps et ce, de façon constante, si l'attitude à votre égard change, cela peut signifier que vos exigences et les conséquences que vous avez décidées sont adéquates. Mais pour cela, il faut aussi observer quelques règles incontournables.

Une cohérence parentale

Les parents doivent répertorier les exigences et leurs éventuelles conséquences positives et négatives mais surtout être bien d'accord entre eux. Je l'ai déjà dit, l'enfant tyran guette vos contradictions et saura culpabiliser l'un pour mieux écarter l'autre. Cette règle est tout aussi importante pour les intervenants au sens large qui doivent affronter une prise de pouvoir d'enfants tyrans : être d'accord sur la norme, la règle et ses conséquences quitte à en abandonner quelques-unes pour être sûrs d'appliquer les décisions.

« Je ne vois pas le problème s'il garde sa casquette à table » me dit le père de Charles, un ado affirmé, créatif et expansif de 16 ans qui n'en fait qu'à sa tête.

Il n'est pas là, les deux parents assistent à cette séance.

« Vous voyez, chaque fois que je tente quelque chose, il n'est pas d'accord ! »

« Pour une casquette tout de même, on a tous été des ados ! » réplique le père...

La casquette peut sembler une exigence ridicule mais tant que le père n'aura pas perçu son importance, Charles ne risque pas grand-chose côté reprise de pouvoir.

Intervenir dès la « première marche »

Surtout que la mère de Charles a bien saisi l'importance d'intervenir très vite, sur de toutes petites exigences pour éviter plus tard la fameuse escalade, l'explosion qui, je le répète, n'arrive pas spontanément mais est l'aboutissement d'une multitude de petits passages à l'acte. Chez Charles, le repas est servi alors qu'il n'a aidé ni aux achats, ni à la préparation, ni à mettre le couvert. Charles arrive au dîner au moment qu'il choisit, sa casquette sur la tête, et pour finir, formule sûrement un « j'aime pas cette bouffe », suivi d'un conflit inévitable avec les parents à propos de l'école, d'une prochaine sortie ou de sa tenue, etc.

Je me souviens de cette politique des marches à ne pas franchir pour éviter l'escalade des passages à l'acte d'adolescents dans un centre d'apprentissage. Avant de parler « réciprocité », « avenir », « respect des enseignants », les différents intervenants s'étaient accordés pour rétablir un minimum de règles de vie : se ranger avant d'entrer en classe, dire bonjour, ne pas couper la parole, porter une tenue correcte mais surtout appropriée (pas de double anorak en classe surchauffée), remettre ses devoirs en temps, etc.

Sanctionner immédiatement

Ne pas attendre un autre passage à l'acte pour sanctionner. « Tu ne veux pas quitter ta casquette à table ? tu quittes la table ! » « Tu es menaçant, insolent, l'argent de poche de la semaine est supprimé mais aussi l'émission télévision du soir. » Et non pas, le fameux « tu verras pour la sortie en fin de semaine » ! Les conséquences repoussées risquent de l'être à l'infini et je n'évoque pas les menaces pour l'anniversaire, pour les vacances ou Noël. Le « je fais faire un prix de gros » n'a que peu d'impact pour quelqu'un qui vit dans l'immédiateté et sait pertinemment que le moyen ou long terme favorise les nouvelles négociations, les reculs, les renoncements.

Sanctionner équitablement

Je ne dis pas qu'il faudrait créer un code pénal éducatif mais les parents sont souvent démunis pour donner des conséquences, pour punir. Ou bien ils décident de punitions trop fortes qui ne sont pas tenues ou mal vécues parce qu'injustes ou bien ils font preuve d'une trop grande permissivité dans leurs décisions. Le meilleur moyen est de simplement évaluer le lien entre la transgression et la sanction : pour une destruction de matériel, une réparation matérielle s'impose, pour des désobéissances qui signent un manque de maturité, des restrictions de liberté peuvent être adéquates, pour des résultats piteux à l'école, le rattrapage comblera les retards, pour des grossièretés ou conflits verbaux, la rupture de communication est logique, etc.

Ne pas laisser l'enfant tyran annuler la sanction !

Une sanction peut s'annuler : vous l'avez compris, lorsque l'un des parents ne « suit » pas ce qui a été décidé mais aussi dans deux autres cas :

• *Hors maison* : lorsque l'enseignant ou la personne qui s'occupe de l'enfant (entraîneur sportif, étudiant « tuteur » pour les devoirs, grands-parents, etc.) ne donne aucune conséquence aux passages à l'acte mais reste dans les conciliabules. Notre enfant tyran voit rapidement les incohérences éducatives des adultes quand il ne les provoque pas. Souvenons-nous de son fameux « diviser pour régner » !
• *À la maison* : il n'est pas question de devenir « tortionnaire », mais si la conséquence est sévère (suppression d'une séance de loisirs ou de sport à l'extérieur), l'enfant ne doit pas trouver une autre attraction dans son environnement : regarder la télévision, jouer à l'ordinateur, faire du vélo… il doit retrouver le minimum de possibilités de se faire plaisir, l'objectif est bien de ne pas le renforcer, de ne pas le récompenser dans ses dysfonctionnements.

Pour conclure ce chapitre, il est important de bien distinguer les trois grandes attitudes parentales que nous avons décrites. Seule l'attitude conflictuelle, même si elle est sans doute la plus frustrante dans son immédiateté, est adaptée aux attitudes de l'enfant tyran.

Comment on devient un parent « sujet »

— En le survalorisant constamment, vous le mettez au centre du monde.
— En banalisant les comportements, vous niez son réel pouvoir.
— En répétant, en tentant de le raisonner, en incriminant les autres devant leurs exigences et leurs désobéissances, vous renforcez l'omnipotence.

Être conflictuel : une sanction rapide mais juste

Transgression	Attitude permissive	Attitude répressive	Attitude conflictuelle
	Définition : désobéissance en toute connaissance des règles. *Constat ou non de la transgression. Pas de conséquences.*	*Constat de la transgression. Réponse émotionnelle, conséquence absente ou disproportionnée.*	*Constat de la transgression. La réponse n'est pas émotionnelle, la conséquence est immédiate.*
Il jette son cartable dans l'entrée au retour de l'école.	Je laisse faire, je ne vais pas dramatiser dès son retour.	Je le gronde, le menace qu'il ne va pas faire sa loi ce soir.	Je lui demande de ramasser son cartable et de le monter dans sa chambre.
Il s'empare de ses céréales favorites pour le goûter.	Il a faim, la cantine n'a sans doute pas été bonne.	Je le laisse manger les céréales, puis exige qu'il arrête, puis les lui enlève.	Je lui reprécise que les céréales, c'est pour le petit déjeuner, je lui demande de manger autre chose.
Il bâcle ses devoirs scolaires.	Je ne vérifie pas son travail, il m'a dit qu'il n'avait rien à faire.	Je le soupçonne de mentir et lui rappelle qu'il va redoubler, que c'est pour son avenir !	Je vérifie devoirs et leçons et lui demande de refaire au lieu d'aller regarder une émission TV.
Chez vous : — — —			

Comment devenir un parent « conflictuel »

— En l'aimant pour ce qu'il est mais en exigeant qu'il se contraigne au quotidien.
— En listant ses obligations.
— En freinant sa consommation.
— En réincluant l'ennui, l'attente, l'effort.
— En le stimulant pour poursuivre ce qu'il entreprend.
— En vérifiant qu'il fait bien ce qui lui est demandé.
— En cessant de palabrer autour des transgressions.
— En imposant des conséquences quand il passe à l'acte.
— En le gratifiant quand il progresse.
— En lui refusant une pseudo-égalité avec l'adulte.
— En rétablissant une autorité parentale.

➤ *Un retour à l'autoritarisme parental ?*

L'autoritarisme répond le plus souvent à l'émotionnel parental. Dans ce cas précis, l'enfant s'enferme dans des comportements de plus en plus tyranniques. Les pathologies infantiles lourdes s'inscrivent rarement dans un contexte éducatif conflictuel mais dans des réponses parentales inadéquates parce que trop excessives dans la permissivité, le rejet ou la violence. Être un parent conflictuel, c'est au contraire tout faire pour rendre notre enfant heureux à moyen et long terme, et parfois au prix de la frustration à court terme, c'est le fameux « dire non » ! Être conflictuel, c'est exister, lui montrer qu'un parent n'a pas que des devoirs, c'est imposer un rapport de réciprocité. Être conflictuel, c'est refuser le maternage à outrance, le don constant de soi, c'est réinclure ce lien soi-autrui. Être conflictuel, c'est accepter enfin qu'éduquer n'est pas seulement aimer, c'est aussi admettre que l'enfant ne saurait nous aimer constamment.

Conclusion

> « Il y a des moments où l'absence d'ogres se fait cruellement sentir. »
>
> Alphonse ALLAIS.

Comment l'enfant roi devient un tyran

Le sujet de l'enfant tyran n'est pas à prendre à la légère. J'assiste quasi quotidiennement à la détresse de parents qui viennent me consulter et je vois ces enfants tout-puissants qui, même s'ils obtiennent des privilèges toujours plus importants, me disent eux aussi leur malheur. Avoir un enfant n'est plus, pour beaucoup de parents, synonyme de bonheur. Qu'il est triste de lire sur Internet ces témoignages de défoulement ! Oui, les parents soumis, paniqués, annulés ont besoin de cette soupape interactive pour mieux vivre leur souffrance. Un de ces sites s'intitule *grosse.fatigue.free.fr*… Les anecdotes que rapportent les parents sont tellement outrancières qu'elles pourraient prêter à rire.

Comment en sont-ils arrivés là ? Ils ne l'ont certes pas voulu : cette perte de l'autorité parentale s'est faite pas à pas, l'enfant tyran n'est pas un adepte du coup d'État brutal. J'ai voulu vous montrer, à vous, les parents, comment cette prise de pouvoir de l'enfant se développait de la toute petite enfance à l'adolescence, comment elle s'inscrivait chaque jour dans des exigences, des menaces, des conflits. L'enfant roi peut très vite devenir un enfant tyran : la tyrannie infantile, qui est l'aboutissement de l'omnipotence infantile, ne saurait épargner personne si le savoir-faire manque pour la comprendre, la désamorcer et y mettre un terme.

Tout petit, le bébé tyran augmente son intolérance aux frustrations si l'environnement ne fait que renforcer ses demandes et ne lui offre aucune contrainte. S'il n'est pas arrêté très jeune dans ses exigences injustifiées, il majorera ses crises et ses conflits lors de la petite enfance pour atteindre l'apothéose à l'adolescence. Arrêter cette omnipotence à n'importe quel moment, mais surtout dès le plus jeune âge, est une donnée incontournable. Pour ce faire, il ne faut pas banaliser des attitudes que la société de consommation qualifie de typiques d'un enfant affirmé, expressif, créatif, bien dans sa peau. Consommer toujours plus, vouloir toujours plus pour exacerber son principe de plaisir n'a rien d'un épanouissement personnel. L'enfant tyran n'est d'ailleurs pas heureux dans sa quête sans fin pour annuler le principe de réalité. Son individualisme ne le comble pas : au fond de lui, il sait bien qu'il a besoin du lien soi-autrui.

C'est notre rôle de parent de s'interposer entre la demande de l'enfant et les stimulations du marketing international. Être des parents lucides et intervenants. Savoir maîtriser notre émotionnel pour mieux appréhender des aberrations comportementales de nos enfants rois. Et dans cette meilleure maîtrise de nos émotions, savoir surtout remettre en cause certaines pensées ou croyances qui nous arrangent bien. Les certitudes en psychologie peuvent renforcer nos croyances et affaiblir notre volonté éducative.

L'enfant est tyrannique non pas dans son identité, mais dans ses comportements

Je ne considère pas l'omnipotence infantile comme un trouble de la personnalité tout entière qui ne pourrait trouver d'autres issues que dans une psychothérapie. Ce sont des *comportements* que je décris. S'il y a prise de pouvoir chez l'enfant tyran, il y a bien une volonté de règne, une volonté d'emprise sur l'autre, un désir de toute-puissance. Cela se manifeste surtout au travers de comportements inadéquats. Ce n'est pas l'enfant dans son identité qui est en jeu, mais bien ses attitudes ou passages à l'acte inappropriés.

Cette hypothèse reprend celles de la psychologie cognitive et comportementale : le comportement est bien ce qui se définit comme une réponse observable et mesurable chez un individu et qui peut se modifier par interaction avec le milieu. Il est souhaitable et possible d'appréhender ces comportements déficients en tant que tels et non en tant que révélateurs d'une pathologie plus profonde. Ma façon de voir les choses propose, avant d'interpréter ou de chercher un sens, de savoir observer pour mieux évaluer, de mesurer et de quantifier pour reconnaître, comprendre et proposer des changements.

Pour bien évaluer s'il s'agit réellement d'une prise de pouvoir, d'un comportement omnipotent ou tyrannique chez l'enfant, il nous faut mesurer le problème. Dans un premier temps, il faut déterminer la fréquence des comportements offensifs ; une sorte de diagramme qui nous indique le nombre d'attitudes conflictuelles par jour et par semaine peut être très utile pour visualiser le nombre de déficits, leur importance et bien sûr leur fréquence.

Dans un deuxième temps, il nous faut évaluer l'intensité des comportements conflictuels. Ils n'ont pas toujours la même force, il est toujours intéressant de savoir dans quel cadre notre enfant est le plus offensif, le plus désobéissant ou le plus tyrannique. En fait, vous, les parents, vous devez devenir de véritables professionnels lorsque vos enfants présentent les symptômes que nous décrivons. Vous devez réaliser de véritables analyses fonctionnelles : à quels moments ont lieu les comportements inadéquats ? Avec qui ? Dans quel contexte ? Pour quelle durée ? Avec quelle intensité ? Avec quelle fréquence ? Quand s'éteignent-ils ? Quand se renforcent-ils ? (c'est-à-dire quand augmentent-ils ?) Avec quelles interventions, avec quelles non-interventions ?

Reconquérir l'autorité parentale

Bien souvent, les professionnels conseillent de désamorcer les conflits pour trouver un terrain d'entente avec l'enfant. Ni vous ni moi ne voulons la guerre perpétuelle, mais lorsque nous découvrons que notre enfant signe de plus en plus des attitudes de petit chef, lorsqu'il domine tout son monde, il devient essentiel d'entamer un véritable combat pour reprendre le pouvoir.

Nous sommes bien loin de l'action éducative harmonieuse préconisée par les observateurs spécialistes. Toujours le même débat entre les interventionnistes et les autres et, pourquoi pas, entre les belliqueux et les pacifistes. De toute façon, le désaccord est grand entre les parents dits « conflictuels » (ceux qui sont le plus souvent qualifiés de rigides) et ceux qui prônent le dialogue, l'empathie, le contractuel, l'a-conflictuel. Faux débat entre deux styles d'éducation quand il faut s'efforcer de retrouver une autorité parentale bafouée et surtout quand l'objectif est de disputer ce pouvoir à un enfant omnipotent, démesuré dans ses désirs, ses besoins, ses attentes, ses exigences.

Être conflictuel, ce n'est pas être répressif, c'est comprendre mais aussi exiger et sanctionner, exister en tant que parent, reconnaître des droits à l'enfant, le droit à l'amour, à la sécurité, à la communication, au respect de sa fragilité mais aussi l'obliger : il lui faut aussi, pour mieux intégrer le principe de réalité, accepter que tout n'est pas plaisir immédiat, que la frustration existe, qu'elle soit matérielle ou relationnelle et que le lien soi-autrui se doit d'équilibrer une bonne estime de soi.

S'il existe la preuve qu'une reconquête de l'autorité parentale peut s'effectuer sans heurts, je renoncerai avec plaisir à l'hypothèse d'une nécessaire éducation conflictuelle. Mais ce sont souvent les méthodes les plus douces qui ont toujours été à l'ordre du jour « psy », et je n'ai guère vu de résultats probants quand il s'agissait de problèmes tels que je les ai décrits. Le respect total, l'empathie, la sympathie, l'écoute approfondie, l'aide appropriée, l'aseptisation des contextes de vie, l'autocritique adulte et surtout parentale sont sans doute plus adéquats pour les phénomènes d'anxiété, la dépression ou d'autres pathologies infantiles graves. Pour le sujet qui nous intéresse, retrouver l'autorité parentale et donc contester une prise de pouvoir infantile, je reste très sceptique quant à l'efficacité des recherches de « sens » ou autres analyses fines.

Éduquer n'est pas que dialoguer

Est-ce un crime de lèse-majesté que d'affirmer que l'interprétation analytique de Françoise Dolto a participé à certaines confusions pour l'éducation de nos enfants ? Je lis certains magazines de vulgarisation, je regarde des émissions de télévision spécialisées « psy » et j'entends toujours le même discours : seul l'amour construit. Lorsque l'on évoque à juste titre la nécessité d'être plus ferme chez les parents, c'est pour ajouter aussitôt qu'il faut surtout à l'enfant donner l'amour dont il manque.

Dès lors, je vis la plus grande confusion en tant que parent : être ferme et l'aimer en même temps, comment faire ? Certains parlent de fermeté en négociant, d'autres insistent surtout sur l'inévitable dialogue, le verbe doit tout régenter. D'attitudes conflictuelles ? Point.

Bien sûr l'amour est indissociable de l'éducation, nous sommes tous d'accord là-dessus. Être un parent conflictuel, c'est bien sûr aimer mais aussi interdire, refuser, exiger, réfuter, contester quand l'enfant dépasse les limites dans ce fameux respect du lien soi-autrui ou dans le nécessaire équilibre entre le principe de réalité et le principe de plaisir. Grand merci à la psychanalyse pour nous avoir éclairés dans ces temps passés d'obscurantisme, mais ne la laissons pas imposer ses dogmes à toute la psychologie. Concernant les déviances de l'enfant tyran, je souhaite clairement redonner ses lettres de noblesse à la psychologie de l'éducation.

L'enfant est un enfant !

À « l'enfant est une personne », nous pouvons substituer « l'enfant est un enfant ». Il est effectivement un « égal paradoxal », pour reprendre les termes du philosophe Alain Renaut. À ce titre, la quête incessante de l'adhésion, du consensus ou de l'échange en éducation ne tient plus compte de sa vulnérabilité et de sa fragilité. Appréhender l'enfant en égal, c'est le leurrer, c'est en faire un décideur, puis un enfant roi jusqu'à la tyrannie.

Certes, il était incontournable de lui accorder des droits après tant de siècles de maltraitance. Oui, il doit être protégé des abus malheureusement toujours actuels de parents barbares. Mais il me paraît toujours aussi indispensable que les parents retrouvent eux aussi leurs droits, et parmi ces droits cette autorité éducative qui ne détruit pas, mais construit l'enfant. L'obligation de l'enfant est bien cette acceptation du principe de réalité, du lien soi-autrui, mais elle ne s'acquiert pas spontanément par une quelconque obligation morale naturelle. La tolérance aux frustrations, qu'elle soit matérielle ou affective, ne s'inscrit, malheureusement, que dans cette confrontation incessante entre un principe de plaisir immédiat tant souhaité et une réalité incontournable. C'est bien là l'objectif de l'autorité parentale et donc de l'éducation. Ne pas frustrer, ne pas contraindre, ce n'est pas considérer le petit homme comme un homme futur mais c'est stimuler son omnipotence et son refus du réel, son appartenance à l'humain. Entre « laisser-aller » et « autoritarisme », nous pouvons retrouver un équilibre.

Quand le bon sens ne suffit plus

Il n'est pas question de bannir toute intervention d'un professionnel de la psychologie. Si je crois que la symptomatologie de l'enfant tyran relève de l'éducation et que l'autorité parentale peut stopper son évolution vers des comportements de tyrannie autrement plus graves, il n'en reste pas moins vrai qu'il ne faut pas attendre quand vous voyez vos interventions devenir de plus en plus impuissantes. Les spécialistes sont bien là pour vous guider, vous aider à faire le distinguo entre une simple phase d'opposition et une structuration de la personnalité vers l'omnipotence.

Si l'action éducative, telle que nous l'avons définie, ne donne rien et que l'enfant ou l'adolescent s'enferme dans des pathologies de plus en plus lourdes, n'hésitez pas à consulter. Je parle de l'éducation comme prévention de nombreux troubles de l'enfant liés à sa toute-puissance, mais je ne considère pas que l'éducation soit « le » traitement pour tous les maux. Le bon sens ne saurait remplacer le bon soin. En revanche, j'espère simplement que beaucoup de parents tenteront désormais de pratiquer prioritairement le bon sens avant de souscrire au bon soin et à ses différents adeptes.

C'est ça, être parent ?

Bien sûr, comprendre, observer, tout cela ne nous contraint guère, mais devenir un parent éducateur, cela n'est pas une mince affaire. Je me souviens de ce « si c'est ça, être parent ! » d'une mère d'un tout jeune enfant tyran. C'est en effet contraignant d'éduquer, d'exiger, de surveiller et de parfois sanctionner. Cela prend du temps, restreint notre liberté. Mais sachons ne plus répondre aux sirènes de l'autonomie, de l'évolution naturelle, de la maturation à coup sûr avec un zeste d'amour et de compassion. Souvenons-nous que s'aveugler, céder, ne pas voir la réalité de l'omnipotence d'un enfant va nous frustrer encore plus avec le temps puisque les dysfonctionnements sont exponentiels.

Mais, si après toutes mes hypothèses, vous préférez croire qu'il va s'en sortir seul naturellement ou qu'il a peut-être besoin d'un spécialiste qui va trouver le pourquoi magique, regardez bien votre propre acceptation des contraintes, votre propre tolérance aux frustrations. Mais l'adulte immature, c'est une autre histoire !

Une question qui concerne la société tout entière

Le contexte actuel est répressif et le risque est grand de faire des amalgames entre incivilités, délinquance et la jeunesse. Je ne m'associe pas à cet esprit anti-jeunes : ma volonté, bien au contraire est de les aider. Demander qu'ils soient plus frustrés c'est justement leur éviter bien des déboires futurs. Le « je t'aime, donc j'interdis » me paraît d'actualité. La répression, elle, suit inéluctablement le laisser-faire.

Ne pas intervenir, se voiler la face, c'est aboutir un jour ou l'autre à des aberrations éducatives. Demander plus d'autorité, plus de conflictualité aux parents, c'est avant tout éviter de réclamer à l'État plus de centres de rééducation, plus d'établissements spécialisés, qu'ils soient hospitaliers ou à caractère semi-carcéral… Interdire, exiger, sanctionner, c'est aussi ne pas avoir recours à la maltraitance infantile, révélatrice d'un émotionnel parental disproportionné et d'une impuissance éducative au quotidien. Redonner aux parents leur statut d'éducateur, c'est enfin éviter que d'autres se chargent de nos enfants : spécialistes ou juges.

Évitons le palais des claques de Pascal Bruckner : « Ainsi ai-je décidé et décrété [...] on bâtira, au cœur de la capitale, au centre de la ville, un bâtiment, une construction de plusieurs étages [...] où chaque semaine [...] parents et pondeurs, tuteurs et précepteurs pourront en toute légalité, impunité [...] venir calotter et mornifler, pincer et cravacher des polissons, des écervelés de tous âges et conditions[1]... »

Rendons à César ce qui appartient à César. Si je remercie mes quelques années de pratique d'éducateur spécialisé de m'avoir donné quelques croyances éducatives, celles plus nombreuses de psychologue et de psychothérapeute de m'avoir sensibilisé à l'autoritarisme des interprétations psychologisantes, il me faut reconnaître que c'est l'œuvre de Jean-Jacques Rousseau qui m'a permis de synthétiser ma pensée. J'emprunte une nouvelle fois ses mots pour conclure :

« La nature veut que les enfants soient enfants avant que d'être hommes. Si nous voulons pervertir cet ordre, nous produirons des fruits précoces, qui n'auront ni maturité ni saveur, et ne tarderont pas à se corrompre ; nous aurons de jeunes docteurs et de vieux enfants. » Des enfants rois qui pourraient vite devenir des enfants tyrans.

---

1. Pascal Bruckner, *Le Palais des claques*, Paris, éd. Virgule, 1986.

Bibliographie

ANDERSON J. et col., *American Journal of Clinical Nutrition*, nov. 2001, vol. 74, p. 579-584.

ANDRÉ C., LELORD F., *L'Estime de soi*, Paris, Odile Jacob, 1999.

ANDRÉ C., LELORD F., *La Force des émotions*, Paris, Odile Jacob, 2001.

AUBERT J.-L., *La Violence dans les écoles*, Paris, Odile Jacob, 2001.

BACCUS A., *Questions au psy, Spécial petits*, Paris, Marabout, 2001.

BANDURA A., *L'Apprentissage social*, Bruxelles, éd. Mardaga, 1976.

BAUDIER A., CELESTE B., *Le Développement affectif et social du jeune enfant*, Paris, Nathan Université, 2000.

BECK A.T., *Cognitive Therapy And The Emotional Disorders*, New York, ed. Meridian, 1976.

BERNARD M. et JOYCE R., *RET With Children And Adolescents*, New York, ed. Wiley, 1984.

BOISVERT J., « Échec à l'enfant roi, Osez porter les culottes ! », *Le Magazine Enfants Québec,* vol. 11, n° 1, 1998, p. 108 -113.

BRUCKNER P., *Le Palais des claques*, Paris, éd. Virgule, 1986.

BRUCKNER P., *L'Euphorie perpétuelle*, Paris, Grasset, 2000.

BRUNER J., *Le Développement de l'enfant, savoir faire, savoir dire*, Paris, PUF, 1983.

COMTESSE DE SÉGUR, *Les Bons Enfants*, Paris, Folio Junior, 1981.

COTTRAUX J., *Thérapies comportementales et cognitives*, Paris, Masson, 1990.

COTTRAUX J., *Les Thérapies cognitives*, Paris, Retz, 1992.

CYRULNIK B., *Un Merveilleux Malheur*, Paris, Odile Jacob, 1999.

CYRULNIK B., *Les Vilains Petits Canards*, Paris, Odile Jacob, 2001.

DI GIUSEPPE R., « A cognitive-behavioral approach to the treatment of conduct disorder children and adolescents », *Cognitive Behavioral Therapy With Families*, New York, Epstein, 1990.

DELAROCHE P., *Doit-on céder aux adolescents ?*, Paris, Albin Michel, 2000.

DELAROCHE P., *Osez dire non !*, Paris, Albin Michel, 1999.

DOLTO F., *La Cause des enfants*, Paris, Pocket, 1985.

DOLTO F., *La Cause des adolescents,* Paris, Pocket, 1985.

DOLTO F., *L'Échec scolaire*, Paris, Pocket, 1989.

DOLTO F., *Les Étapes majeures de l'enfance*, Paris, Folio, 1994.

DRÉVILLON J., *Pratiques éducatives et développement de la pensée opératoire*, PUF, Paris, 1980, p. 390.

DUCLOS G., « Le grand jeu de l'enfant roi ! », *Le Magazine Enfants Québec*, vol. 12, n° 17, 2000, p. 33-35.

DUMAS J., *L'Enfant violent*, Paris, Bayard, 2000.

ELLIS A., *Reason And Emotion In Psychotherapy*, New York, Citadel Press, 1962.

ELLIS A. et HARPER A., *L'Approche émotivo-rationnelle*, éd. De L'homme, éd. Cim, Montréal, 1992.

FANGET F., *Affirmez-vous ! Pour mieux vivre avec les autres,* Paris, Odile Jacob, 2000.

FEUERSTEIN R., *The Dynamic Assessment of Retarded Performers*, Londres, ed. Scott, 1979.

FREUD S., *Malaise dans la civilisation*, Paris, PUF, 1929.

GAILLARD J.-M., *La Famille en miettes*, Paris, Sand, 2001.

GENDREAU G., *L'Intervention psycho-éducative,* Paris, Fleurus, 1976.

GEORGE G., *Mon enfant s'oppose. Que dire ? Que faire ?,* Paris, Odile Jacob, 2000.

GOLDING W., *Sa Majesté des mouches*, Paris, Folio, 1954.

GOSMAN F., *Les Enfants dictateurs*, éd. Le Jour, 1994.

HARRUS-RÉVIDI G., *Parents immatures et enfants-adultes*, Paris, Payot, 2001.

HERGÉ, *Tintin au pays de l'or noir*, Paris-Tournai, Casterman, 1971.

KAGAN J., *Des idées reçues en psychologie*, Paris, Odile Jacob, 2000.

KANT E., *Réflexions sur l'éducation*, Paris, J. Vrin, 2000.

KOHLBERG L., « Stage and sequence : the cognitive-developmental approach to socialization », 1969, *in* D. Goslin, *Handbook of Sociolization Theory and Research*, New York, Rand Mcnally.

KOHLBERG L., « The cognitive-developmental approach to moral development », *Phi Delata Kappan*, 56, n° 10, p. 671, 1975.

LIAUDET J.-C., *Dolto expliquée aux parents*, Paris, éd. de L'Archipel, 1998.

MALRIEU, *Hommage à Henri Wallon*, Presses universitaires du Mirail, 1987.

MILLER A., *C'est pour ton bien*, Paris, Aubier, 1984.

MONTESSORI Maria, *Pédagogie scientifique*, Paris, Desclée de Brouwer, 1958.

OLIVIER C., *L'Ogre intérieur*, Paris, Fayard, 1999.

OUZILOU C., *Dyslexie, une vraie-fausse épidémie*, Paris, Presses de la Renaissance, 2001.

PEETERS J., *Les Adolescents difficiles et leurs parents*, Paris, éd. De Boeck et Belin, 1997.

PIAGET J., *Le Jugement moral chez l'enfant*, Paris, PUF, 1939.

PIAGET J., *Où va l'éducation ?,* Paris, Denoël, coll. Médiations, 1972.

PIAGET J., *Psychologie et Pédagogie*, Paris, Denoël, coll. Médiations, 1973.

PIAGET J., *Mes Idées*, Paris, Denoël, coll. « Médiations », 1973.

PIAGET J., *Le Comportement, moteur de l'éducation*, Paris, Gallimard, coll. « Idées », 1976.

PIAGET J. et INHELDER B., *De la logique de l'enfant à la logique de l'adolescent*, Paris, PUF, 1985.

PLATON, *La République*, Paris, éd. Gontier, 1966.

PLEUX D. et BERNARD M., « You Can Do It ! » Programme de motivation pour étudiants, *Guides de l'élève et du maître*, Institut RET, Caen, 1993.

PLEUX D., « Gestion du stress et RET », *Revue Qualité CNAS*, 1994.

PLEUX D., *« Apprendre : dysfonctionnements et changements », Étude de l'immaturité cognitive et de sa modifiabilité*, Thèse de doctorat de l'université de Caen, 1995.

PLEUX D., *« Peut mieux faire ». Remotiver son enfant à l'école*, Paris, Odile Jacob, 2001.

REDL et WINEMAN, *L'Enfant agressif*, Paris, Fleurus, 1964.

REZA Y., *Trois Versions de la vie*, Paris, Albin Michel, 2001.

ROUSSEAU J.-J., *Émile ou De l'éducation*, Paris, GF Flammarion,

ROUSSEL L., *L'Enfance oubliée*, Paris, Odile Jacob, 2001.

SCHNEUWLY B., BRONCKART J.-P., *Vygotsky aujourd'hui*, Lausanne, Delachaux et Nietslé, 1985.

SKINNER, *L'Analyse expérimentale du comportement*, Bruxelles, Mardaga, 1971.

UDERZO, GOSCINNY, *Astérix en Hispanie*, Neuilly, Dargaud, 1969.

VAN RILLAER J., *Les Illusions de la psychanalyse*, Mardaga, Bruxelles, 1980.

VITRAC R., *Victor ou les enfants au pouvoir*, Paris, Gallimard, 1983.

WALLON H., *Les Origines du caractère chez l'enfant*, Paris, PUF, 1949.

WALLON H., *L'Évolution psychologique de l'enfant*, Paris, A. Colin, 1968.

WINNICOTT D.W., *Jeu et Réalité*, Paris, Gallimard, 1971.

WOLPE J., « Cognition and causation in human behavior », *American Psychologist*, 1978.

WRIGHT R., *L'Animal moral*, Paris, Michalon, 1995.

Table

Chapitre 2
Une domination subtile sur toute la famille

Chapitre 3
Les parents maltraités

Chapitre 4
La faute à qui ?

DEUXIÈME PARTIE

Comment l'enfant devient un tyran : radiographie d'une escalade

Chapitre 5
Premier stade (0 à 3 ans) : sa majesté des couches

Chapitre 6

DEUXIÈME STADE (4 À 13 ANS) : L'ENFANT CASTRATEUR

Chapitre 7

TROISIÈME STADE : L'ADOLESCENT EN CRISE

TROISIÈME PARTIE
Retrouver la bonne autorité

Chapitre 8
D'ABORD COMPRENDRE

Chapitre 9
NE RÉAGISSEZ PAS AVEC VOS ÉMOTIONS

Chapitre 10
REMETTEZ EN QUESTION VOS PRÉJUGÉS

Chapitre 11
N'AYEZ PAS PEUR D'ÊTRE CONFLICTUEL

Mille mercis à Odile Jacob qui sait accueillir, Christophe André qui sait entendre, Catherine Meyer qui sait éclairer, Annick, ma femme, qui sait donner tant.

Cet ouvrage a été transcodé et mis en pages
chez NORD COMPO (Villeneuve d'Ascq)

Impression réalisée par

La Flèche (Sarthe), le 02-06-2014
N° d'impression : 3006020
N° d'édition : 7381-1535-10
Dépôt légal : juin 2014

Imprimé en France